deutsch übe

Anneli Billina

Deutsch für Besserwisser A1

Typische Fehler verstehen und vermeiden

Hueber Verlag

4.	3.	2.		Die letzten Ziffern
2020	19	18	17	16	bezeichnen Zahl und Jahr des Druckes.

Alle Drucke dieser Auflage können, da unverändert,
nebeneinander benutzt werden.
1. Auflage
© 2015 Hueber Verlag GmbH & Co. KG, München, Deutschland
Umschlaggestaltung: creative partners gmbh, München
Umschlagfoto: © fotolia/yuryimaging
Zeichnungen: Irmtraud Guhe, München
Layout und Satz: Sieveking • Agentur für Kommunikation, München und Berlin
Verlagsredaktion: Hans Hillreiner, Hueber Verlag, München
Druck und Bindung: Firmengruppe APPL, aprinta druck GmbH, Wemding
Printed in Germany
ISBN 978–3–19–007499–0

Art. 530_19727_001_02

Inhalt

Vorwort

Liebe Lernerinnen, liebe Lerner,

Deutsch für Besserwisser A1: Typische Fehler verstehen und vermeiden legt den Fokus auf die Bereiche der Niveaustufe A1, die den meisten Lernern Probleme bereiten. Für den Lernprozess ist es wichtig, Fehler zu machen, denn nur so lernt man. Aber diese Fehler sollten keine „Lieblingsfehler" werden, da man sie später nur schwer wieder loswird, wenn man sich daran gewöhnt hat.

In einem ersten Schritt hilft dieses Buch zu erkennen und zu verstehen, wo die Schwierigkeiten liegen.

Mithilfe klarer Grammatikdarstellungen werden Regeln visualisiert und so einfach wie möglich erklärt. Fehlerhafte Äußerungen, die auf A1-Niveau typisch sind und häufig vorkommen, werden vorgestellt und verbessert.

Im zweiten Schritt wird die korrekte Anwendung gezeigt.
Abwechslungsreiche Übungen führen den Lerner langsam zu einem sichereren Gebrauch der Sprache, unterstützt von Audio-Übungen, die die korrekte Sprachproduktion mehr und mehr automatisieren.

In einem Phonetik-Teil werden die wichtigsten Ausspracheprobleme behandelt, mit denen die meisten Lerner, abhängig von der jeweiligen Muttersprache mehr oder weniger stark, zu kämpfen haben.

Alle Lösungen zu den Übungen und die Hörtexte finden Sie im Anhang des Buches.

Deutschlernerinnen und -lerner aller Altersstufen können mit *Deutsch für Besserwisser A1* bereits mit geringem Vorwissen selbstständig und kursunabhängig arbeiten.

Das Buch kann aber auch gut kursbegleitend zur Unterstützung eingesetzt werden.

Außerdem eignet es sich bestens zur Wiederholung der Lerninhalte der Niveaustufe A1 bzw. zur Vorbereitung auf die Prüfung *Start Deutsch 1*.

Viel Spaß mit *Benni*, der als sympathischer „Besserwisser" den richtigen Weg zeigt!

Autorin und Verlag

 Das ist die Nummer der Hörübung auf der MP3-CD

 Hier ist Benni zufrieden.

 Hier ist etwas falsch.

 Hier gibt Benni einen Tipp.

 Hier muss man aufpassen!

A. Konjugation

A.1. Konjugation im Präsens

A.1.a Verbendungen regulär

Wo ist der Fehler?
Schreiben Sie den Satz richtig: _____

Ü1 **Small Talk auf einer Party**
Markieren Sie die Person und die Endung des Verbs.

- ■ Hallo! Ich heiße Jean. (1) Und du?

- ● Claudia! Ich heiße Claudia. (2)

  Jean ... Kommst du aus Frankreich? (3)

- ■ Ja, richtig! Ich lebe eigentlich in Paris. (4)

  Im Moment besuche ich eine Freundin. (5)

  Sie wohnt hier in Hamburg. (6)

- ● Ach so! Bleibst du lange hier in Deutschland? (7)

- ■ Nein, wir reisen morgen zusammen nach Italien. (8)

  Meine Freundin studiert in Florenz. (9)

● Wie schön! Fahrt ihr mit dem Zug? (10)

■ Nein, wir nehmen das Auto. (11)

● Da fahrt ihr aber sehr lange! (12)

■ Wir schlafen morgen Nacht bei Freunden in München. (13)

Sie haben ein großes Haus! (14)

Aber vielleicht kommst du auch einmal nach Florenz? (15)

Wir bleiben drei Wochen. (16) ...

Regel

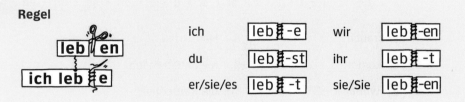

ich	leb -e	wir	leb -en
du	leb -st	ihr	leb -t
er/sie/es	leb -t	sie/Sie	leb -en

Vorsicht!

Der Verbstamm endet auf **-t** oder **-d**: Hier kommt ein **-e-** dazu!

arbeiten   du arbeit**e**st / er arbeit**e**t / ihr arbeit**e**t

finden   du find**e**st / er find**e**t / ihr find**e**t

... und noch mal Vorsicht!

Der Verbstamm endet auf **-s**, **-ß** oder **-z**: Hier kommt **kein -s-** in der 2. Person Singular!

heißen   →   du heiß**t**

sitzen   →   du sitz**t**

reisen   →   du reis**t**

Ü2 Das Ende muss passen!

Ordnen Sie den Verben die richtigen Endungen zu.

t • t • t • t • t • t • t • st • st • e • e • en • en • en • en

1. er braucht

2. du komm____

3. ich wohn__

4. Lisa geh__

5. wir kauf___

6. du hör____

7. ich sag__

8. Hans trink__

9. meine Eltern leb____

10. die Kinder lieb____

11. ihr seh__

12. wir koch____

13. es pass__

14. ihr mach__

Landeskunde-Tipp

Ich erzähle von meinen Eltern: „Meine Eltern leben nicht in Deutschland, **sie** leben in Wien."

Ich spreche mit Herrn Neumann und bin höflich: „Wo leben **Sie**? Ach, **Sie** leben in Wien! Wie schön!"

Vorsicht!

Das formelle **Sie** schreibe ich mit einem großen **S**!

Ü3 Das Kennenlernen

Ergänzen Sie die Endungen der Verben.

Sophie lernt Deutsch in Frankfurt. Heute beginnt der Deutschkurs.
Sophie spricht in der Klasse mit Marco.

- ■ Hallo! Ich heiß*e* (1) Sophie. Und du?

- ● Hallo! Ich heiß__ (2) Marco. Ich komm__ (3) aus Italien, aus Südtirol.

   Woher komm____ (4) du, Sophie?

- ■ Aus England. Du sprich____ (5) schon ganz gut Deutsch, oder?

- ● Naja, nicht so gut ... In Südtirol lern____ (6) wir Deutsch in der Schule.

   Viele Leute dort sprech____ (7) Deutsch. Wie ist das in England?

   Lern__ (8) ihr auch Sprachen in der Schule?

- ■ Ja, aber viele Kinder lern____ (9) Französisch, nicht Deutsch.

   Und meine Großeltern und meine Eltern sprech____ (10) nur Englisch.

   Aber mein Bruder lern__ (11) jetzt sogar Chinesisch!

- ● Das ist toll! Wo wohn____ (12) du, Sophie? Leb____ (13) du in London?

- ■ Nein, ich leb__ (14) in Manchester. Aber mein Vater leb__ (15) dort,

   also fahr__ (16) ich oft nach London. Und wo leb____ (17) du?

- ● In Bozen. Das lieg__ (18) mitten in Südtirol. Meine Familie wohn__ (19) schon

   lange in Bozen, schon viele Generationen. Wir heiß____ (20) Hofer mit

   Familiennamen, das ist ein alter Name in der Region.

- ■ Ah, interessant! Sprech__ (21) ihr alle Deutsch, also auch deine Eltern und Großeltern?

- ● Ja – ah, da komm__ (22) die Lehrerin!

Die Lehrerin kommt in die Klasse.

- ▲ Guten Morgen und herzlich willkommen! Sind alle Kursteilnehmer da?

   Ich kontrollier__ (23) zuerst die Liste: Marco Hofer?

- ● Ja!

- ▲ Komm____ (24) Sie aus Deutschland, Herr Hofer?

- ● Nein – alle Leute frag____ (25) das! Aber ich komm__ (26) aus Italien.

- ▲ Ach so, dann wohn____ (27) Sie sicher in Südtirol! – Sophie Brown? ...

Ü4 *Du* oder *Sie*?

Kreuzen Sie an – *du* oder *Sie*?

1. ☒ du ☐ Sie

2. ☐ du ☐ Sie

3. ☐ du ☐ Sie

4. ☐ du ☐ Sie

5. ☐ du ☐ Sie

6. ☐ du ☐ Sie

7. ☐ du   ☐ Sie

8. ☐ du   ☐ Sie

Landeskunde-Tipp

Hier sage ich ‚du'!

Ich spreche mit meiner Familie.
Ich spreche mit einem Freund.
Ich spreche mit einem Kind.
Wir machen zusammen Sport.
Wir gehen zusammen in die Schule oder Universität.

Hier sage ich ‚Sie'!

Ich spreche mit einem Erwachsenen.
Ich spreche mit Kollegen.
Ich spreche mit einer Person, die ich nicht kenne.

Ü5 **Entschuldigung, woher kommen Sie?**

Hören Sie und antworten Sie wie im Beispiel!

aus Frankreich

■ Woher kommen Sie?
▲ *Ich komme aus Frankreich*

1. in Paris
2. in Lyon
3. Englisch und Französisch
4. in den USA
5. Hausaufgaben
6. eine Woche
7. nein, das Auto
8. nein, nach Hamburg
9. nach Thailand
10. um acht Uhr
11. morgen

**Hören Sie und antworten Sie wie im folgenden Beispiel –
Sie haben den Partner nicht richtig verstanden.**

Entschuldigung, woher ...

■ Ich komme aus England.
▲ *Entschuldigung, woher kommst du?*

1. Entschuldigung, wie ...
2. Entschuldigung, wie lange ...
3. Entschuldigung, was ...
4. Entschuldigung, wohin ...
5. Entschuldigung, was ...
6. Entschuldigung, wohin ...

A.1.b Konjugation der Hilfsverben (*sein, haben*)

Wo ist der Fehler? Schreiben Sie den Satz richtig:_____

Ü6   Konjugation – korrekt!

Ordnen Sie die Verbformen den Personen zu.

sein			**haben**	
ich _bin_	wir _sind_		ich _habe_	wir _haben_
du _bist_	ihr _Seid_		du _hast_	ihr _habt_
er/sie/es _ist_	sie/Sie _sind_		er/sie/es _hat_	sie/Sie _haben_

Grammatik-Tipp

Die Konjugation von **haben** ist ganz normal, nur in der 2. und 3. Person
Singular gibt es **kein** b!   du ha~b~st   er ha~b~t

A

So müde!

Ergänzen Sie die richtige Form von *sein*.

1. Ich *bin* so müde.

2. Das *ist* wirklich anstrengend. *bist* du nicht auch müde?

3. Meine Eltern arbeiten hart. Sie _____ oft sehr müde.

4. Es _____ schon so spät, aber ich _____ noch gar nicht müde!

5. Oh – Paul schläft in der Klasse! Er _____ wirklich müde.

   Oder der Unterricht _____so langweilig!

6. _____ ihr endlich fertig? Ich möchte gehen, denn ich _____ müde.

7. Die Studenten _____ müde, denn der Test _____ schwer.

8. Ihr lernt schon so lange Deutsch – _____ ihr nicht müde?

9. Aber nein! Wir _____ fit!

Wortschatz-Tipp

■ Deutsch ist gar nicht so schwer!

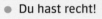
● ~~Du bist richtig.~~

● Du hast recht!

Wortschatz-Tipp

■ Wie geht's dir?

● ~~Danke, ich bin gut!~~

● Danke, es geht mir gut! /
Danke, gut! /
Danke, mir geht's gut.

Ü8 Und was hast du?

Ergänzen Sie die richtige Form von *haben*.

1. *Hast* du einen Hund?

2. Ich _____ leider kein Haustier.

3. Wir _____ einen großen Garten.

4. Wirklich? Ihr _____ keinen Fernseher? Dann _____ihr aber viel

   Zeit zum Lesen!

5. Sie _____ schon lange kein Auto mehr, aber Philipp _____ein

   Mountainbike und ein Rennrad und Moni _____ einen Motorroller.

6. Er joggt gern, aber er _____ nicht viel Zeit.

7. Was möchtest du kaufen? Du _____ doch schon alles!

8. Ich _____ ein sehr gutes Wörterbuch.

9. Ludwig _____ ein Haus in Frankreich. Und du? _____du auch ein Ferienhaus?

Wortschatz-Tipp

- Wie alt **bist** du?
- Ich ~~habe~~ 18 Jahre.
- Ich **bin** 18 Jahre alt. / Ich **bin** 18.

Ü9 Am Telefon

Setzen Sie die richtigen Verben aus dem Schüttelkasten ein.

~~ist~~ • ist • bin • bin • habt • hast • bist • ist • seid • habe • sind • sind • hat • haben • ist

Britta Wegmanns Telefon klingelt.

- ■ Wegmann.

- ● Hallo Britta, hier *ist* (1) Gerda.

- ■ Hallo Gerda! Wie geht's?

- ● Gut, danke! Ich _____ (2) wieder zu Hause.

- ■ Oh – _____ (3) dein Urlaub schon zu Ende?

● Nein, eine Woche _____ (4) ich noch Urlaub. Aber ich _____ (5)

gerne ein bisschen zu Hause. Das Reisen _____ (6) auch anstrengend!

Und wie geht es dir und Werner? _____ (7) ihr vielleicht morgen Abend Zeit?

■ Ja, wir _____ (8) keine Pläne. Warum?

● Ich möchte gern morgen Abend im Garten grillen. _____ (9) du Lust?

■ Oh ja! Ich frage Werner, aber ich denke, er _____ (10) auch Zeit und Lust.

_____ (11) du morgen Abend allein, oder _____ (12) Georg auch da?

● Hm, Britta – Georg und ich, wir _____ (13) nicht mehr zusammen!

■ Was? Georg und du, ihr _____ (14) nicht mehr zusammen? Warum denn?

● Das erzähle ich dir morgen, ja? Was möchtet ihr essen? Vielleicht Steaks?

Die _____ (15) immer sehr lecker.

■ Sehr gern! Bis morgen, ich freue mich!

Landeskunde-Tipp

Wie sage ich meinen Namen?

Beim Kennenlernen gibt es drei Möglichkeiten:

Ich heiße Benni Besserwisser.

Mein Name ist Benni Besserwisser.

Ich bin Benni Besserwisser.

Am Telefon gibt es zwei Möglichkeiten:

Hier ist Benni Besserwisser.

Hier spricht Benni Besserwisser.

Guten Tag, ~~ich bin Herr Gebert.~~

Landeskunde-Tipp

Das Telefon klingelt:

Sie nehmen den Telefonhörer ab und sagen Ihren Familiennamen.

Sie rufen eine andere Person an:

Sie begrüßen die Person und sagen sofort, wer Sie sind, zum Beispiel: „Guten Tag, Frau Müller, hier ist Benni Besserwisser."

Ü10 ... und noch ein bisschen üben!

Hören Sie und ergänzen Sie die richtige Form von *sein* wie im Beispiel:

1. ich *bin*

Nun ergänzen Sie die richtige Form von *haben*. ...

A.1.c Irreguläre Verben im Präsens

Pssst, sie schlaft!

Wo ist der Fehler? Schreiben Sie den Satz richtig: _____

Ü11 Was macht eine typische deutsche Familie in ihrer Freizeit?
Markieren Sie alle Verbformen.

1. Die typische deutsche Familie – gibt es das? Vielleicht!

2. Ich kenne eine Familie, sie heißt Familie Wagner.

   Was macht die Familie in ihrer Freizeit?

3. Die Mutter liest gern und geht viel spazieren. Sie spricht auch

   gut Französisch, denn sie macht einen Französisch-Kurs.

4. Herr Wagner liebt sein Auto und wäscht es jeden Samstag. Am Sonntag

   nimmt er aber lieber sein Fahrrad und fährt mit einem Freund in die Berge.

5. Manchmal fragt er seine Frau: „Warum fährst du nicht mit mir in die Berge?"

   Aber Frau Wagner findet, das ist zu anstrengend.

6. Sebastian, der Sohn der Familie, trifft in der Freizeit seine Freunde.

   Abends sieht er fern. Am Wochenende schläft er lange.

7. Seine Schwester Marianne isst gerne Eis. Dann findet sie sich zu

   dick und läuft eine Stunde im Park.

8. Manchmal hilft sie den Großeltern im Garten. Für die Arbeit bekommt

   sie ein bisschen Geld. Sie geht sehr gern shoppen!

Schreiben Sie zu den Verbformen den Infinitiv. Kreuzen Sie die Verben an, die in der zweiten oder dritten Person Buchstaben im Wortstamm ändern.

1.	gibt	_geben_	☒	14.	fährst	_____	☐
2.	kenne	_____	☐	15.	findet	_____	☐
3.	heißt	_____	☐	16.	ist	_____	☐
4.	macht	_____	☐	17.	trifft	_____	☐
5.	liest	_____	☐	18.	sieht	_____	☐
6.	geht	_____	☐	19.	schläft	_____	☐
7.	spricht	_____	☐	20.	isst	_____	☐
8.	macht	_____	☐	21.	findet	_____	☐
9.	liebt	_____	☐	22.	läuft	_____	☐
10.	wäscht	_____	☐	23.	hilft	_____	☐
11.	nimmt	_____	☐	24.	bekommt	_____	☐
12.	fährt	_____	☐	25.	geht	_____	☐
13.	fragt	_____	☐				

Kreuzen Sie die korrekte Regel an.

Bei den irregulären Verben **fahren**, **waschen**, **schlafen** und **laufen** wird **a** zu **ä**.
geben, **treffen**, **essen** und **helfen** wird **e** zu **i**.

in der

☐	1. Person		☐	1. Person	
☐	2. Person	Singular	☐	2. Person	Plural
☐	3. Person		☐	3. Person	

Vorsicht!

| lesen / sehen | -ie- | du **lie**st, er **lie**st / du **sie**hst, er **sie**ht |
| nehmen | -mm- | du ni**mm**st, er ni**mm**t |

Ü12 Freizeit und Hobbys

Ergänzen Sie die Verben aus dem Schüttelkasten in der richtigen Form.

laufen • laufen • treffen • treffen • mitnehmen • ~~fahren~~ • fahren • fahren •
lesen • lesen • essen • essen • waschen • sehen • sehen

1. Michael *fährt* sehr gern Rad.

2. Catrin _____ gern Liebesromane.

3. Leoni und Chris _____ jeden Morgen im Park.

4. Moritz _____ jeden Tag drei Zeitungen.

5. Jörg _____ jeden Samstag seinen Porsche und

   _____ dann ins Zentrum.

6. Uli _____ oft seine Freunde im Motorradclub.

7. Gabi _____ sehr gerne im 5-Sterne-Restaurant.

8. Anna _____ jedes Jahr einen Marathon.

9. Und du? _____ du gern Ski oder Snowboard?

10. Oder _____ du am Wochenende deine Freunde und

    _____ mit ihnen im Restaurant?

11. _____ du oft Filme im Fernsehen?

12. Oder _____ du lieber eine Freundin _____ und ihr

    _____ zusammen einen Film im Kino?

Ü13 **Was macht Herr Müller alles?**

**Bilden Sie Sätze aus den Wörtern. Vorsicht: Wann gibt es Vokalwechsel,
wann nicht? Beginnen Sie den Satz mit „Er ...".**

1. Rad fahren • gern   *Er fährt gern Rad* _____.

2. Sport machen • oft   _____

3. spazieren gehen • jeden Abend

    _____

4. arbeiten • den ganzen Tag • im Büro

    _____

5. Nachrichten sehen • jeden Abend

    _____

6. mittags • in der Pizzeria essen   _____

7. in der Pause • Computerspiele spielen

    _____

8. am Wochenende • seine Wäsche waschen

    _____

9. Martha • Klavierunterricht geben

    _____

10. oft • seine Eltern besuchen   _____

11. gerne • Schuhe kaufen   _____

12. am Wochenende • seinem Vater im Garten helfen

    _____

13. jeden Abend • am Telefon • mit seiner Tochter in Italien sprechen

    _____

Ü14 Ach, wirklich?

Hören Sie und antworten Sie wie im Beispiel. Sie hören dann zur Kontrolle ihre Antwort noch einmal.

1. Ich fahre gern Rad.
   Ach, du fährst gern Rad?

Ü15 ... und noch einmal, ganz klar!

Hören Sie genau auf die Aussprache und wiederholen Sie, ganz langsam, klar und laut. Sie hören dann zur Kontrolle noch einmal.

1. ich fahre – du fährst

2. ich laufe – du läufst

3. ich lese – du liest

4. ich spreche – du sprichst

5. ich wasche – du wäschst

6. ich esse – du isst

7. ich nehme – du nimmst

8. ich treffe – du triffst

9. ich schlafe – du schläfst

10. ich sehe – du siehst

11. ich helfe – du hilfst

12. ... und du sprichst – und du wäschst –

    und du sprichst – und du wäschst –

    und du sprichst – und du wäschst –

    und jetzt ist Schluss!

A.1.d Trennbare Verben

Wo ist der Fehler? Schreiben Sie den Satz richtig:

Regel

ein kaufen

Beate **kauft** heute Nachmittag im Supermarkt **ein**.

Ü16 Viele Pläne

Markieren Sie alle Verben. Dann ordnen Sie die Verben ein (trennbar / nicht trennbar) und ergänzen Sie den Infinitiv.

Guten Morgen! Ein schöner Tag heute, nicht? (1) Ich habe heute viele Pläne:

(2) Gleich stehe ich auf und dusche mich kalt. (3) Dann frühstücke ich einen Toast mit Marmelade und trinke eine Tasse

Milchkaffee. (4) Ich räume schnell die Küche auf und rufe meine Freundin an. (5) Vielleicht kommt sie zum Einkaufen mit? (6) Ich kaufe auf dem Markt und im Supermarkt ein. (7) Dann laufe ich eine Stunde im Park. (8) Später lade ich meine Nachbarn zum Kaffeetrinken ein. (9) Ich backe einen Erdbeerkuchen. (10) Hoffentlich bringen sie nicht ihre fünf Kinder mit ...

(11) Am Abend sehe ich fern. (12) Es kommen drei Harry-Potter-Filme! (13) Da schlafe ich sicher sehr spät ein – also schlafe ich jetzt noch ein bisschen!

trennbar		nicht trennbar	
stehe ... auf	*aufstehen*	*habe*	*haben*

Grammatik-Tipp

Ist ein Präfix trennbar oder nicht?

Das können Sie auch hören:

nicht trennbar: **Akzent auf Silbe 2** (verstehen, besuchen)

trennbar: **Akzent auf Silbe 1** (**auf**stehen, **ein**kaufen)

Ein trennbares Präfix ist ein eigenes kleines Wort und kann alleine stehen:

auf / an / ein / mit ...

Ü17 **Wo ist der Rest?**

Ordnen Sie zu: Welches Präfix macht den Satz komplett?

1. Ich räume meinen Schreibtisch   a) mit?

2. Frau Sommer kauft heute im Supermarkt   b) an.

3. Er lädt alle seine Freunde zum Geburtstag   c) ein.

4. Ich bringe heute Abend eine Flasche Wein   d) aus.

5. Jeden Abend ruft sie ihren Freund   e) an.

6. Sie steht am Wochenende erst um elf Uhr   f) ein.

7. Ich gehe ins Kino, kommst du   g) mit.

8. Es ist schon spät, ich mache den Computer   h) auf.

9. Der Deutschkurs fängt um 9.30 Uhr   i) auf.

1.	2.	3.	4.	5.	6.	7.	8.	9.
h								

Grammatik-Tipp

Auch bei den trennbaren Verben gibt es Vokalwechsel:

einladen	du lädst ein – er lädt ein
einschlafen	du schläfst ein – er schläft ein
abfahren	du fährst ab – er fährt ab
mitnehmen	du nimmst mit – er nimmt mit
fernsehen	du siehst fern – er sieht fern

Ü18 Ein langer Tag

Setzen Sie die Verben aus dem Schüttelkasten in der richtigen Form ein.

> sein • fernsehen • duschen • einkaufen • gehen • aufhören •
> zurückgehen • machen • frühstücken • einschlafen • vorbereiten •
> ~~aufstehen~~ • anfangen • mitnehmen • anrufen • sein

1. Alex hat viel Arbeit. Am Morgen _steht_ er schon um 5 Uhr _auf_.

2. Zuerst _____ er das Frühstück für die Familie _____.

3. Dann _____ er ein bisschen Yoga und _____ danach.

4. Er _____ zusammen mit seiner Frau und den Kindern.

5. Um 7.30 Uhr _____ er im Büro mit seiner Arbeit ____.

6. Mittags _____ er schnell im Supermarkt _____.

7. Den ganzen Nachmittag _____ er am Telefon und _____ die Kunden ____.

8. Um 18 Uhr _____ er mit der Arbeit _____ und _____ zur Bushaltestelle.

   Aber – oje! – die Einkäufe _____ noch im Büro!

9. Er _____ schnell ins Büro _____. Jetzt _____ er alle Einkaufstüten

   nach Hause _____.

10. Am Abend _____ er mit seiner Frau _____.

11. Aber bald _____ er vor dem Fernseher _____

Wortschatz-Tipp

ankommen		abfahren	
aufmachen		zumachen	
einsteigen		aussteigen	
umsteigen		abholen	

Am Bahnhof findet man viele trennbare Verben!

A

Ü19   Trennen oder nicht?

Kreisen Sie alle trennbaren Verben wie im Beispiel ein.

arbeiten   schlafen

anrufen   anfangen

treffen   besuchen   vorbereiten   fernsehen

aufräumen   ⟨einkaufen⟩   zumachen   mitkommen

aufhören

entschuldigen

verstehen   frühstücken

antworten   bezahlen

ankommen

erzählen

aufstehen

einladen   einsteigen

nehmen   aussteigen

lernen

aufmachen

abfahren

Wortschatz-Tipp

wehtun ist auch ein trennbares Verb.

Mein Kopf tut weh!

Meine Ohren tun weh!

Vorsicht!

ich	tue	wir	tun
du	tust	ihr	tut
er/sie/es	tut	sie/Sie	tun

Ü20 Eine Fahrt in den Urlaub

Hier fehlen alle Verben. Sie finden sie im Schüttelkasten. Ergänzen Sie die Verben an der richtigen Position wie im Beispiel. Vorsicht: Es gibt viele trennbare Verben!

> sein • sein • sein • anrufen • ansehen • umsteigen • finden •
> einsteigen • abholen • frühstücken • einschlafen • ~~haben~~ • finden •
> ankommen • fahren • fahren • gehen • zurückfahren • mitnehmen •
> ankommen • aufwecken • dauern • abfahren

Karin und Olivier _haben_ Urlaub _____ und _____ nach Rom _____.

Die Koffer _____ schwer _____, denn sie _nehmen_ viel Kleidung _mit_.

Am Hauptbahnhof _____ _____ sie in den Zug nach Innsbruck _____.

Sie _____ die reservierten Plätze _____ und der Zug _____.

Es _____ noch sehr früh am Morgen _____.

Karin _____ müde _____ und _____ schnell _____.

In Österreich _____ Olivier sie _____.

Sie _____ und _____ bald in Innsbruck ____.

Dort _____ sie in den Zug nach Rom ____.

Die Fahrt _____ lange _____.

Am Abend _____ sie endlich in Rom ____.

Ein Freund _____ sie vom Bahnhof ____.

Zusammen _____ sie zum Hotel _____.

Dort _____ sie ihre Familie ____ und _____ dann gleich

ins Bett _____.

Die nächsten Tage _____ sie viele bekannte Plätze in Rom ____.

Sie _____ die Stadt fantastisch _____!

Eine Woche später _____ sie nach Hause _____.

Ü21 Wirklich?

Hören Sie und antworten Sie wie im Beispiel.

🎧 6

- Ich muss jetzt heimfahren.
- *Wirklich? Du fährst jetzt heim?*

A.2. Vergangenheit

A.2.a Perfekt

Wo ist der Fehler? Schreiben Sie den Satz richtig: _____

Grammatik-Tipp

Viele reguläre Verben bilden das **Partizip** mit **ge-...-t**!

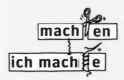

Vorsicht!

Alle regulären Verben auf **-ieren** haben **kein** ge-!

studieren   **ge**studiert

Ü22 *ge-* **oder nicht** *ge-*, **das ist hier die Frage!**
Bilden Sie das Partizip.

1. studieren   Ich habe in London *studiert*.

2. machen   Ich habe gestern viel Sport _____.

3. kaufen   Herbert hat am Wochenende ein Auto _____.

4. telefonieren   Riki hat zwei Stunden lang mit Henna _____.

5. leben   Er hat ein Jahr in Südkorea _____.

6. lernen   Als Kind hat Beatrix Geige _____.

7. fotografieren   Im letzten Urlaub habe ich wieder zu viel _____.

8. arbeiten   Ich habe heute zehn Stunden _____. Jetzt bin ich müde.

9. diskutieren   Wir haben heute in der Klasse lange _____.

10. kochen   Gestern Abend hat mein Mann toll _____.

11. reservieren   Ich habe keinen Platz im Zug _____.

     Und jetzt ist alles besetzt!

12. frühstücken   Heute hat Lisa schon um sechs Uhr _____.

Wortschatz-Tipp

studieren   Ich besuche eine Universität.

lernen   Ich besuche eine Schule,
einen Kurs, ein Spracheninstitut, ...

Sie lernen Deutsch!

Heute bezahle ich! Du hast das letzte Mal gebezahlt!

Wo ist der Fehler? Schreiben Sie den Satz richtig: _____

Regel

Die trennbaren Verben bilden das Partizip mit **...-ge-...-t**!

einkaufen   ein**ge**kauf**t**

Vorsicht!

Alle Verben mit den Präfixen **emp-**, **ent-**, **er-**, **be-**, **miss-**, **ver-**, **zer-** und **ge-** haben **kein ge-**!   ~~ge~~be**zahlen**   ~~ge~~be**zahlt**

Ü23   Ein Puzzle

Setzten Sie aus den Wortteilen korrekte Partizipien zusammen.

ge • schul • hört • be • rei • tet • ge • er • räumt • zu • sucht • auf • ein • vor • zahlt • auf • macht • ~~er~~ • laubt • holt • ge • digt • gänzt • kauft • be • ~~zählt~~ • er • ge • ent • ver • ab • ge

1. *erzählt*_____   5. _____   9. _____

2. _____   6. _____   10. _____

3. _____   7. _____   11. _____

4. _____   8. _____   12. _____

Lern-Tipp

Merken Sie sich die Präfixe wie einen Reim:

emp-, ent-, er-, be- / miss-, ver-, zer-, ge- !

Du hast aber lang geschlaft!

Wo ist der Fehler? Schreiben Sie den Satz richtig: _____

Regel

regulär

„normal":	**gemacht**	(machen)
trennbar:	**eingekauft**	(einkaufen)
nicht trennbar:	be**zahlt**	(bezahlen)
-ieren:	stu**diert**	(studieren)

Endet immer auf **-t**!

irregulär

„normal":	**geschlafen**	(schlafen)
trennbar:	auf**gestanden**	(aufstehen)
nicht trennbar:	ver**standen**	(verstehen)

Endet immer auf **-en**!

Das müssen Sie lernen!

Grammatik-Tipp

Es gibt noch eine kleine Gruppe von Verben, die **Mischverben**.

Sie sind **irregulär**, aber **enden mit -t**.

wissen	ich habe **gewuss**t
denken	ich habe **gedach**t
bringen	ich habe **gebrach**t
kennen	ich habe **gekann**t

Ü24 Was für ein Verb ist das?

Ordnen Sie die Partizipien den Infinitiven zu.

Partizip		Infinitiv
1. gegessen		a) treffen
2. gelaufen		b) finden
3. verstanden		c) essen
4. getrunken		d) lesen
5. geschrieben		e) ankommen
6. eingeschlafen		f) fliegen
7. gelesen		g) laufen
8. gesprochen		h) schreiben
9. genommen		i) helfen
10. geholfen		j) tun
11. getroffen		k) fahren
12. gegangen		l) verstehen
13. gefunden		m) trinken
14. gefahren		n) geben
15. angekommen		o) bleiben
16. getan		p) nehmen
17. gegeben		q) einschlafen
18. geflogen		r) sehen
19. geblieben		s) sprechen
20. gesehen		t) gehen

1.	2.	3.	4.	5.	6.	7.	8.	9.	10.
c									

11.	12.	13.	14.	15.	16.	17.	18.	19.	20.

Lern-Tipp

Merken Sie sich die irregulären Verben im Perfekt in Gruppen:

schreiben	geschrieben	ei → ie
bleiben	geblieben ...	
sprechen	gesprochen	e → o
nehmen	genommen	
helfen	geholfen	
treffen	getroffen ...	
laufen	gelaufen	
schlafen	geschlafen	
lesen	gelesen	Das Verb bleibt wie im Infinitiv!
fahren	gefahren	
kommen	gekommen	
geben	gegeben ...	

Grammatik-Tipp

Wenn Sie neue Verben lernen, ordnen Sie die Verben in Gruppen.

Denken Sie an eine kleine Geschichte, z. B.:

Beate hat Felix **getroffen**.

Sie haben **gesprochen**.

Felix hat den schweren Koffer
von Beate **genommen**.

Er hat Beate **geholfen**.

Ü25 **Üben – bis Sie es im Schlaf können!**

Hören sie den Infinitiv und ergänzen Sie das Partizip.

verstehen *verstanden*

A

Ü26 **Perfekt-ABC**

Ergänzen Sie die Verben im Perfekt. Sind sie regulär oder irregulär?

1. sprechen — Anna hat lange mit ihrer Lehrerin *gesprochen*.

2. verstehen — Branko hat die neue Grammatik gut _____.

3. treffen — Charlotte hat am Abend ihre Freunde _____.

4. telefonieren — Dorothea hat zwei Stunden _____.

5. frühstücken — Erika hat heute noch nicht _____.

6. helfen — Felix hat Beate mit ihrem schweren Koffer _____.

7. bezahlen — Gerhard hat die Rechnung _____.

8. nehmen — Hanna hat gestern Abend ein Taxi _____.

9. lesen — Inge hat ein sehr gutes Buch _____.

10. schreiben — Jörg hat eine lange E-Mail _____.

11. fliegen — Kurt ist noch nie _____.

12. gehen — Laura ist heute Morgen zu Fuß in die Universität _____.

13. studieren — Martin hat am Konservatorium Musik _____.

14. einkaufen — Niko hat zu wenig Essen _____, jetzt hat er Hunger.

15. sehen — Olga hat einen tollen Film im Kino _____.

16. hören — Paula hat letzte Woche die Münchner Philharmoniker_____.

17. trinken — Quirin hat auf dem Oktoberfest zu viel Bier _____.

18. essen — Renate hat einen Tag lang nur Obst _____.

19. ankommen — Susi ist nach zehn Stunden Autofahrt gut in Rom _____.

20. kochen — Tim hat gestern Abend toll _____.

21. laufen — Ulla ist letztes Jahr einen Marathon _____.

22. zumachen — Vincent hat das Fenster _____.

23. spielen — Willi hat am Sonntag Fußball _____.

24. schwimmen — Xaver ist gestern im See _____.

25. aufstehen — Yvonne ist heute schon um sechs Uhr _____.

26. schlafen — Zora hat im Mathematik-Unterricht _____.

Ü27 Was für ein Tag!

Ergänzen Sie das Partizip Perfekt der Verben aus dem Schüttelkasten.

> schreiben • stoppen • treffen • bezahlen • fahren • sagen • sprechen •
> wissen • denken • bleiben • ~~aufstehen~~ • abholen • kontrollieren • trinken •
> einschlafen • wegfahren • gehen • essen • verstehen

Ich glaube, ich brauche Urlaub. Gestern ist so viel passiert!

1. Morgens bin ich viel zu spät _aufgestanden_.

2. Dann bin ich zum Bus gelaufen, aber der Bus ist _____.

3. Also bin ich mit dem Fahrrad in die Universität _____.

4. Ein Polizist hat mich _____ und mein Fahrrad _____.

5. Er hat etwas von einer Lampe _____, aber ich habe es nicht gut

    _____.

6. Schließlich habe ich 20 Euro _____.

7. In der Universität hat der Professor zwei Stunden lang _____.

8. Das war sehr langweilig und ich bin _____.

9. Am Ende bin ich ganz alleine in dem großen Kursraum _____. Peinlich!

10. Mittags habe ich eine Pizza _____ – sie war kalt – und eine Cola

    _____ – sie war natürlich warm ...

11. Dann habe ich meinen Ex-Freund mit seiner neuen Freundin _____.

    Super!

12. In dem Kurs am Nachmittag haben wir einen Test _____.

    Ich habe viele Antworten nicht _____.

13. Am Abend habe ich meine Freundin _____.

14. Wir sind ins Kino _____. Und wie war der Film?

15. Natürlich schlecht! Das haben Sie sich sicher schon _____!

Wo ist der Fehler? Schreiben Sie den Satz richtig:

_____

Regel

In einem **Satz im Perfekt** steht
an **Position II** das **Hilfsverb**
und **am Ende** das **Partizip Perfekt**.

Vorsicht!

Nicht bei allen Verben benutzt man das Hilfsverb **haben**.

Bei einer kleinen Gruppe Verben benutzt man das Hilfsverb **sein**!

Ü28 Ein Wochenend-Ausflug

Markieren Sie alle Verben im Perfekt: Hilfsverb und Partizip.

1. Letztes Wochenende <u>bin</u> ich mit meinen Freunden an den Wannsee <u>gefahren.</u>

2. Wir haben ein leckeres Picknick mitgenommen und am See gegessen und getrunken.

3. Dann haben wir Volleyball gespielt und sind viel geschwommen.

4. In der Sonne bin ich eingeschlafen.

5. Nach einer Stunde bin ich aufgewacht und war ganz rot im Gesicht.

6. Ich bin ein bisschen am See spazieren gegangen und habe viele Vögel gesehen.

7. Am Abend ist auch meine Freundin Inge gekommen.

8. Sie ist Kellnerin und hat den ganzen Tag im Café gearbeitet.

9. Inge hat uns Kuchen aus dem Café mitgebracht – lecker!

10. Abends ist es kalt geworden, aber wir haben ein Feuer gemacht und sind noch lange am See geblieben.

haben oder *sein*? **Ordnen Sie die Infinitive aus den Sätzen oben in die Tabelle ein.**

haben	haben	sein	sein
		fahren	

Welche Verben passen zu dieser Regel?

fahren, _____

Hier bewege ich mich von A nach B.

Welche Verben passen zu dieser Regel?

einschlafen, _____

Vorsicht!

bleiben ist eine Ausnahme!   Ich **bin** geblieben.

Ü29   Gestern Abend

Markieren Sie das richtige Hilfsverb.

1.   Ich habe/<u>bin</u> gestern Abend zu meiner Freundin gefahren.

2.   Wir haben/sind in eine Pizzeria gegangen und haben/sind zusammen gegessen.

3.   Dann hat/ist sie mich ins Kino eingeladen und wir haben/sind einen Film gesehen.

4.   Danach haben/sind wir in einer Kneipe noch etwas getrunken.

5.   Dort haben/sind wir einen alten Freund getroffen.

6.   Wir haben/sind lange gesprochen und haben/sind erst spät nach Hause gekommen.

7.   Meine Freundin hat/ist ein Bett für mich gemacht und ich habe/bin dort geschlafen.

8.   Heute Morgen haben/sind wir spät aufgewacht und haben/sind lange zusammen gefrühstückt.

9.   Das hat/ist viel Spaß gemacht!

Wortschatz-Tipp

Ich bin gestern im Zentrum ~~gespaziert~~.

Ich bin gestern im Zentrum **spazieren gegangen**.

Ü30   Ich bin schon fertig!

Hören Sie und antworten Sie wie im Beispiel.

1.   ■ Kaufst Du bitte heute ein?
     ● *Ich habe heute schon eingekauft!*

A.2.b Präteritum von *sein* und *haben*

Warum bist du gestern nicht gekommen?

Tut mir leid, ich habe keine Zeit gehabt.

Wo ist der Fehler? Schreiben Sie den Satz richtig: _____

Regel

Für die Vergangenheit benutzt man beim Sprechen oft das Perfekt, nicht das Präteritum.

Vorsicht!

Bei **sein** und **haben** benutzt man besser das Präteritum.

ich **hatte**	nicht:	ich ~~habe gehabt~~	
ich **war**	nicht:	ich ~~bin gewesen~~	

Regel

	sein	haben
ich	war–	hatte
du	warst	hattest
er/sie/es	war–	hatte
wir	waren	hatten
ihr	wart	hattet
sie/Sie	waren	hatten

Die 1. und die 3. Person sind im Singular und im Plural immer gleich!

Ü31 **Das war gestern auch schon so!**
Setzen Sie die Sätze in die Vergangenheit.

1. Klara hat heute keine Zeit. *Gestern hatte sie auch keine Zeit.*

2. Heute ist es sehr kalt. *Gestern*

3. Heute bin ich im Deutschkurs. *Gestern*

4. Ich habe heute kein Geld. *Gestern*

5. Bea ist heute müde. *Gestern*

6. Sie hat heute Kopfschmerzen. *Gestern*

7. Moritz und Tessa sind heute sehr verliebt.

   Gestern

8. Mein Kollege hat heute keine Lust zu arbeiten.

   Gestern

9. Habt ihr heute viel Zeit zum Deutschlernen?

   gestern

10. Hast du heute Lust zu kochen?

    gestern

11. Meine Kollegen sind heute zum Mittagessen im italienischen Restaurant.

12. Heute bin ich glücklich, denn ich habe viel Zeit für mich.

Ü32 Jetzt und früher

Hören Sie und antworten Sie wie im Beispiel.

1. vier Kinder • keine Kinder

   Jetzt habe ich vier Kinder. – *Früher hatte ich keine Kinder.*

2. alt • jung
3. dick • schlank
4. reich • arm
5. ein Auto • ein Fahrrad
6. nie Zeit • immer Zeit
7. schön • auch schön
8. ein Haus • eine Wohnung
9. einen Laptop • eine Schreibmaschine
10. faul • sportlich
11. Handys • nur das Familientelefon
12. fit im Präteritum • unsicher im Präteritum

Ü33 Großvater erzählt

Ergänzen Sie *sein* oder *haben* in der richtigen Form im Präteritum.

Ich habe als Kind auf einem Bauernhof gelebt. Da *hatten* (1) wir viel Arbeit, aber wir

_____ (2) auch viel Zeit zum Spielen. Und natürlich _____ (3) wir nicht in

einem Kindergarten. Wir _____ (4) die Tiere und die Natur – und viel Phantasie!

Ich _____ (5) auch sehr gern in meinem Baumhaus. Da _____ (6) ich viele Bücher

und habe viel gelesen. Und dort _____ (7) ich allein, denn ich _____ (8) fünf

Geschwister, und das _____ (9) mir manchmal zu viel!

Wir _____ (10) auch einen Hund, Caro. Ich bin mit ihm gern spazieren gegangen

und wir _____ (11) oft lange unterwegs.

Ich denke, früher _____ (12) es im Sommer viel heißer und im Winter _____ (13)

wir mehr Schnee. Aber vielleicht ist das auch nicht richtig.

Viele Leute sagen: „Früher _____ (14) alles viel besser!" Das denke ich nicht.

Wir _____ (15) andere Probleme als die Leute heute.

Ü34 **Winter in den Bergen**

Ergänzen Sie die Verben aus dem Schüttelkasten in der richtigen Form.

> fahren • ~~sein~~ • sein • sein • sein • sein • sein • sein • wohnen •
> kommen • spielen • gehen • haben • haben • bleiben •
> aufwachen • trinken • schneien • vorbereiten • kochen • aufstehen

1. Letzten Winter _waren_ wir eine Wochen mit Freunden in den Bergen.

2. Wir _____ in einem kleinen Bauernhaus _____.

3. Das Haus _____ drei Schlafzimmer und eine Küche.

4. Also _____ wir jeden Abend selbst _____.

5. Am Morgen _____ wir früh _____.

6. Wir _____ noch müde, aber beim Skifahren _____ wir schnell

   _____.

7. Den ganzen Tag _____ wir Ski _____.

8. Um 17 Uhr _____ wir nach Hause _____ und _____

   eine heiße Schokolade _____.

9. Das _____ wirklich lecker.

10. Dann _____ wir das Abendessen _____.

11. Wir _____ viel Spaß beim Kochen!

12. Nach dem Essen _____ wir Karten _____.

13. Aber bald _____ wir müde und _____ ins Bett _____.

14. Das Wetter _____ nicht immer gut, zwei Tage _____ es _____.

15. Aber das _____ auch gemütlich, denn wir _____ zu Hause am

    Ofen _____.

16. Es _____ eine richtig schöne Woche!

A.3. Modalverben & Co.

A.3.a *ich will – ich möchte*

Wo ist der Fehler? Schreiben Sie den Satz richtig: _____

Regel

Sie haben einen Plan oder ein Ziel: **wollen**

Sie haben einen Wunsch
und möchten höflich sein: **möcht-**

Vorsicht!

Die Modalverben haben eine spezielle Konjugation!

Regel

	wollen	möcht-
ich	will-	möchte
du	willst	möchtest
er/sie/es	will-	möchte
wir	wollen	möchten
ihr	wollt	möchtet
sie/Sie	wollen	möchten

Die 1. und die 3. Person sind im
Singular und im Plural immer gleich!

Ü35   Und – üben wir ein bisschen?

Hören Sie und ergänzen Sie die richtige Form von *wollen*.

1.   ich *will*

Ü36   Was ihr wollt!

Ergänzen Sie das passende Modalverb, *wollen* oder *möcht-*, in der richtigen Form.

1.   Achmed sagt: „Nach dem Abitur *will* ich Medizin studieren."

2.   Frau Krause sitzt im Café und bestellt:

     „Ich _____ ein Glas Orangensaft, bitte."

3.   Julia _____ so gern ein Pferd haben, aber ihre Eltern haben kein Geld.

4.   „_____ du eine Tasse Tee oder Kaffee?"

5.   „In den Ferien _____ wir auf die Malediven fliegen, alles ist schon gebucht!"

6.   „Bitte sag mir endlich, was du _____!"

7.   Das Theaterstück von Shakespeare „Twelfth Night; or, What You Will"

     heißt auf Deutsch "Was ihr _____".

8.   Martha _____ jetzt gern schlafen, aber das geht nicht,

     denn sie sitzt im Deutschunterricht.

9.   Er weiß nicht, was er _____.

10. Kinder _____ nie ihr Zimmer aufräumen.

11. „Hm, das sieht lecker aus! Ich _____ auch so ein Eis!"

12. „Bitte, hier ist die Speisekarte. Was _____ Sie trinken?"

Grammatik-Tipp

Eigentlich ist **ich möchte** der Konjunktiv II von **mögen**, aber diese Verbform hat eine ganz eigene Bedeutung bekommen. Deshalb gibt es keinen Infinitiv von **ich möchte**.

Die Bedeutung von **mögen**: siehe Kapitel A.3.b.

Ü37 **In der Bäckerei**

Ergänzen Sie *möcht-* in der richtigen Form.

Frau Steinbrück und ihr kleiner Sohn kommen in die Bäckerei.

- ▪ Guten Morgen!

- ● Guten Morgen! Kann ich Ihnen helfen?

- ▪ Ja, ich *möchte* (1) bitte zehn Brötchen.

- ● _____ (2) Sie Vollkornbrötchen oder Weizenbrötchen?

- ▪ Fünf Weizen und fünf Vollkorn, bitte. Und du, Maxi?

  _____ (3) du eine Breze? Ja? Dann noch eine Breze, bitte!

- ● _____ (4) Ihr Sohn die Breze gleich essen oder soll ich sie einpacken?

- ▪ Er _____ (5) sie gleich essen, danke!

- ● Ist das alles?

- ▪ Ja, danke, das ist alles.

- ● Das macht dann 6,30 €.

Aussprache-Tipp

6,30 €	man sagt:	sechs Euro dreißig
0,30 €	man sagt:	dreißig Cent

Vorsicht!

Euro und **Cent** sind immer im Singular!

Wortschatz-Tipp

Beim Einkaufen kann ich sagen:

Ich möchte bitte … / Ich brauche … / Ich hätte gern …

Alles ist gut und höflich!

Ü38 Wie sage ich es?

Kreuzen Sie an: Was ist richtig?

1. ☐ zehn Euros

   ☒ zehn Euro

2. ☐ Ich hätte gern ein Kilo Tomaten.

   ☐ Ich habe ein Kilo Tomaten, bitte.

3. ☐ Ich brauche gern ein Vollkornbrot, bitte.

   ☐ Ich brauche ein Brot. Vollkornbrot, bitte.

4. ☐ Ich möchte ein Baguette, bitte.

   ☐ Ich will ein Baguette, bitte.

5. ☐ Haben Sie Bananen?

   ☐ Hätten Sie Bananen?

6. ☐ Ich möchte bitte einen Kaffee zum Mitnehmen.

   ☐ Ich möchte gern bitte einen Kaffee zum Mitnehmen.

Landeskunde-Tipp

In Deutschland sind am Sonntag alle Geschäfte geschlossen.
Nur einige Bäckereien haben am Vormittag geöffnet.

Sie haben spät abends oder am Sonntag schrecklich Durst oder Hunger?

Gehen Sie zu einer Tankstelle! Viele Tankstellen verkaufen Getränke und
Lebensmittel, manche haben ein Angebot wie ein kleiner Supermarkt.

A.3.b *ich möchte – ich mag*

Wo ist der Fehler? Schreiben Sie den Satz richtig: _____

Wortschatz-Tipp

Das mag ich:

Ich **esse gern** Äpfel.	= Ich **mag** Äpfel.
Ich **sehe gern** Liebesfilme.	= Ich **mag** Liebesfilme.
Ich **höre gern** Jazz.	= Ich **mag** Jazz.
Ich **finde** Anna **sehr nett**.	= Ich **mag** Anna.
Ich **finde** Paris **sehr schön**.	= Ich **mag** Paris.

Das mag ich sehr:

Äpfel sind mein **Lieblings**obst.

Liebesfilme sind meine **Lieblings**filme.

Jazz ist meine **Lieblings**musik.

Anna ist meine **Lieblings**freundin.

Paris ist meine **Lieblings**stadt.

Regel

Ich habe eine generelle Präferenz, dann benutze ich **mögen**.

ich	mag–	wir	mög**en**
du	mag**st**	ihr	mög**t**
er/sie/es	mag–	sie/Sie	mög**en**

Vorsicht!

Ich liebe ... ist auf Deutsch sehr stark!

Ich liebe meine Frau. / Ich liebe meine Kinder.

Ü39 **Und was mögen Sie?**

Ergänzen Sie *mögen* **in der richtigen Form.**

1. Ayman kommt aus Libyen und _mag_ Regen.

2. Ich _____ keinen Regen, denn in Deutschland regnet es zu oft.

3. _____ du Schokolade? Oh ja, sehr gern!

4. Mein Mann und ich, wir hören nur klassische Musik.

   Wir _____ keine moderne Musik.

5. Meine Eltern fahren oft nach Rom. Sie _____die Stadt sehr.

6. Klara _____ ihren Mathematik-Lehrer, denn er erklärt gut.

7. _____ ihr Sushi? Dann bestelle ich heute Abend Sushi für uns alle!

8. Du _____ kein Fleisch, du _____ kein Gemüse und du _____

   keinen Fisch!

9. Was _____ du eigentlich?! Ich _____ dich! ☺

Ü40 **Nein, ich mag das nicht!**

Hören Sie und antworten Sie negativ, wie im Beispiel.

🎧 12

1. ■ Mag deine Schwester Orangensaft?

   ● *Nein, sie mag keinen Orangensaft.*

Ü41 *Möchten* **Sie oder** *mögen* **Sie?**

Ergänzen Sie *möcht-* **oder** *mögen* **in der richtigen Form.**

1. Jetzt *möchte* ich am liebsten am Meer in der Sonne liegen.

   Und du?

2. _____ Sie ein Glas Rotwein?

   Nein danke, lieber nur ein Glas Wasser. Ich _____ keinen Alkohol.

3. Eva _____ gern in einer großen Stadt leben, aber ihr

   Mann _____ das Stadtleben gar nicht.

4. Wie findest du unseren neuen Chef? Sehr nett, ich _____ ihn.

5. Herr Ober, ich nehme den Fisch. Aber ich _____ bitte Salat

   dazu, keinen Reis. Geht das? Sehr gern!

6. Ryan _____ einen Porsche kaufen, denn er _____ schnelle Autos.

7. Wann _____ du Urlaub machen? Im Winter.

   Ich _____ am liebsten Skiurlaube in den Bergen!

8. Elke _____ Tiere und _____ Tierärztin werden.

Ü42 **Viele Wünsche**

Hören Sie und fragen Sie wie im Beispiel.

🎧 13

1. ■ Anna hat einen Wunsch: Ein Pferd.

   ● *Was möchte Anna? Ein Pferd?*

A.3.c *ich darf (nicht) – ich muss (nicht)*

Wo ist der Fehler? Schreiben Sie den Satz richtig: _____

Regel

Etwas ist **erlaubt**:   **dürfen**

Etwas ist **verboten**:   **dürfen + Negation**

ich	darf–	(nicht)	wir	dürf**en**	(nicht)
du	dar**fst**	(nicht)	ihr	dür**ft**	(nicht)
er/sie/es	darf–	(nicht)	sie/Sie	dürf**en**	(nicht)

Regel

Etwas ist **wichtig** und **dringend**:   müssen

Heute muss ich viel arbeiten.

Etwas ist **nicht wichtig** und **nicht dringend**:   müssen + Negation

ich	m**u**ss- (nicht)	wir	müss**en** (nicht)
du	m**u**s**st** (nicht)	ihr	müss**t** (nicht)
er/sie/es	m**u**ss- (nicht)	sie/Sie	müss**en** (nicht)

Heute muss ich nicht arbeiten.

Ü43   **Was ist erlaubt, was nicht?**

Ergänzen Sie *dürfen* oder *müssen* in der richtigen Form.

1.   dürfen   *Darf* ich Sie etwas fragen?

2.   dürfen   In einem Kleidergeschäft _____ man nicht essen.

3.   müssen   In einer Metzgerei _____ Hunde draußen bleiben.

4.   müssen   _____ du noch arbeiten oder hast du ein bisschen Zeit für mich?

5.   dürfen   Mama, _____ ich mit Ella ins Kino gehen? Ja, du _____.

     müssen   Aber zuerst _____ du deine Hausaufgaben fertig machen.

6.   dürfen   Hi, Lisa! Wir _____ das Auto von meinen Eltern nehmen. – Cool!

7.   müssen   So viel Arbeit! Und ich _____ um 18 Uhr fertig sein!

8.   müssen   Im Biergarten ist Selbstbedienung, ihr _____ die Getränke

              selbst holen.

9.   dürfen   Heute ist keine Schule und alle Kinder _____ zu Hause bleiben.

10. müssen   Leila _____ Deutsch lernen, denn sie möchte in Deutschland studieren.

11. müssen   Wir _____ noch zwei Seiten wiederholen, dann sind wir fertig.

12. dürfen   Seid ihr fertig? Dann _____ ihr nach Hause gehen.

Ü44 **Strenge Eltern!**
Ergänzen Sie das richtige Modalverb: *dürfen* **oder** *müssen*?

1. Eine alte Dame kommt in die U-Bahn? Dann _musst_ du aufstehen!

2. Du möchtest mit deinen Freunden Fußball spielen?

   Zuerst _____ du deine Hausaufgaben machen.

3. Es ist schon so spät! Du _____ nicht mehr lesen,

   du _____ jetzt schlafen.

4. Du hast so schlechte Noten!

   Du _____ am Wochenende nicht zu der Party, du _____ lernen.

5. Du _____ nicht so laut Musik hören! Die Nachbarn beschweren sich schon.

6. Du möchtest in den Sommerferien mit deinen Freunden eine Reise

   machen? Dann _____ du jobben und Geld verdienen!

7. Du _____ nicht rauchen und keinen Alkohol trinken!

   Das ist ungesund.

8. In der Schule _____ du immer gut aufpassen.

9. Es ist kalt! Du _____ deine warme Jacke mitnehmen!

10. Ich arbeite! Siehst du das nicht?

    Du _____ mich nicht immer stören!

11. Du _____ noch Klavier üben, du hast morgen Klavierstunde!

12. Kinder, ihr _____ nicht so laut schreien!

    Ihr _____ jetzt endlich einmal leise sein!

Ü45 **Die armen Kinder!**
Hören Sie die beiden Satzteile und machen Sie einen Satz wie im Beispiel.

1. Hausaufgaben machen • mit deinen Freunden spielen

   Du musst erst Hausaufgaben machen, dann darfst du mit
   deinen Freunden spielen.

A.3.d ich muss – ich soll

Oh, schon so spät! Ich soll jetzt nach Hause gehen.

Wo ist der Fehler? Schreiben Sie den Satz richtig: _____

Regel

Etwas ist objektiv wichtig
und dringend: **müssen**

Dein Vater hat heute Geburtstag.
Du musst ihn anrufen!

Regel

Wenn man meint, etwas ist wichtig: **sollen**

Vielleicht mache ich es, vielleicht auch nicht.

ich	soll–	wir	soll**en**
du	soll**st**	ihr	soll**t**
er/sie/es	soll–	sie/Sie	soll**en**

Dein Vater hat angerufen.
Du sollst ihn zurückrufen.

Ü46 Wer hat das gesagt?

Markieren Sie das richtige Verb: *müssen* oder *sollen*?

1. Philipp <u>muss</u>/soll jeden Morgen um sechs Uhr aufstehen.

2. Ich muss/soll mit dem Rauchen aufhören.

   Das hat mein Arzt gesagt.

3. Wir müssen/sollen nie länger als acht Stunden arbeiten.

   Das ist eine Regel in unserem Büro.

4. So ein Chaos! Ich muss/soll dringend putzen und aufräumen.

5. Ihr müsst/sollt für den Test die Wörter von drei Kapiteln lernen.

6. Klara hat gesagt, du musst/sollst sie heute Abend anrufen.

7. Ich bin so müde! Ich muss/soll länger schlafen.

8. Wann musst/sollst du mit der Arbeit fertig sein?

   Was hat dein Chef gesagt?

9. Um sechs Uhr kommt Franz nach Hause.

   Kannst du ihm bitte sagen,

   er muss/soll schon einmal die Spaghetti kochen?

10. Musst/Sollst du für dein Examen noch viel lernen?

11. Frau Nachbarin! Sagen Sie bitte Ihren Kindern,

    sie müssen/sollen nicht immer so laut sein!

12. Dein Mann sieht müde aus.

    Er muss/soll unbedingt einmal Urlaub machen!

A.3.e *ich kann – ich kenne – ich weiß*

Ach, Sie sprechen kein Englisch? Ich kenne Englisch, Französisch, Spanisch und Chinesisch!

Wo ist der Fehler? Schreiben Sie den Satz richtig: _____

Regel

Ich habe etwas gelernt.

Ich habe ein Talent.

Ich mache etwas gut.

können

Ich kann jonglieren!

Ich habe eine Person schon einmal getroffen.

Ich habe eine Stadt /
einen Film schon einmal gesehen.

Ich habe eine Musik schon einmal gehört.

kennen

Ich kenne Paris!

	können	**kennen**
ich	kann-	kenne
du	kannst	kennst
er/sie/es	kann-	kennt
wir	können	kennen
ihr	könnt	kennt
sie/Sie	können	kennen

‚kennen' ist ein ganz normales reguläres Verb!

Grammatik-Tipp

können gebrauche ich auch ...

für eine höfliche Frage:

für eine Möglichkeit:

Ü47 **Ich kann gut Deutsch sprechen!**
Ergänzen Sie das Verb in der richtigen Form.

1. können Jan *kann* sehr gut Deutsch sprechen.

2. können _____ Sie Italienisch sprechen?

3. kennen Ich _____ Claudia schon lange, wir sind zusammen in

   die Schule gegangen.

4. können Sie _____ in unserer Mediothek Bücher und Filme leihen.

5. kennen Wir _____ das Buch schon, wir haben in unserem letzten

   Sprachkurs mit dem Buch gearbeitet.

6. kennen _____ du eigentlich schon meinen Bruder?

7. können Ich _____ nicht gut Tennis spielen!

8. kennen Man _____ oft seine eigene Stadt nicht sehr gut.

9. können _____ du mir bitte kurz helfen?

10. kennen Wir _____ ein tolles italienisches Restaurant!

11. können • kennen • können

   Ich _____ nicht so gut Klavier spielen, aber ich _____ einen sehr guten

   Pianisten, den _____ ich fragen, ob er auf deiner Party spielt.

Wortschatz-Tipp

ich weiß   =   Die Information ist nicht neu für mich.

ich weiß nicht =   Ich habe keine Ahnung / keine Idee!

Vorsicht!

Das Verb **wissen** ist irregulär.

ich	weiß-	wir	wissen
du	weißt	ihr	wisst
er/sie/es	weiß-	sie/Sie	wissen

Ü48 **Ich weiß nicht!**

Ordnen Sie die richtigen Sätze oder Satzteile zu.

1. Wo ist eigentlich meine Brille?
2. Er kann wirklich ganz fantastisch
3. Warst du schon einmal in München?
4. Der Kurs hat am 1. Mai angefangen.
5. Kennst du eigentlich
6. Sie können aber
7. Das ist nicht richtig!
8. Könnt ihr bitte
9. Das ist zu schwer,
10. Kannst du schon
11. Leider kenne ich
12. Ich kenne das neue Computerprogramm,

a) gut Deutsch!
b) Kennst du die Stadt gut?
c) Klavier spielen.
d) den Vater von Birgit?
e) Schloss Neuschwanstein noch nicht.
f) aber ich kann es noch nicht benutzen.
g) Er hat es aber nicht gewusst.
h) das kann ich nicht!
i) Ich weiß.
j) alle neuen Wörter?
k) heute Nachmittag einkaufen?
l) Ich weiß nicht.

1.	2.	3.	4.	5.	6.	7.	8.	9.	10.	11.	12.
l											

Ü49 **Kannst du das?**

Hören Sie und fragen Sie wie im Beispiel.

15

1. Frankfurt: *Kennst du das?*

A.3.f *Könnten Sie bitte ...? – Würden Sie bitte ...?*

Machen Sie das Fenster zu?

Wo ist der Fehler? Schreiben Sie den Satz richtig: _____

Regel

| Sie wollen **höflich** fragen: | Können Sie bitte ...? |
| Sie wollen **sehr höflich** fragen: | Könn**ten** Sie bitte ...? / **Würden** Sie bitte ...? |

ich	könn**te**	wür**de**
du	könn**test**	wür**dest**
er/sie/es	könn**te**	wür**de**
wir	könn**ten**	wür**den**
ihr	könn**tet**	wür**det**
sie/Sie	könn**ten**	wür**den**

Das ist der Konjunktiv II von „können"!

Das ist der Konjunktiv II von „werden"!

Ü50 Bitte bleiben Sie höflich!

Schreiben Sie eine höfliche Frage, wie im Beispiel.

1. Fenster aufmachen • Sie

    Könnten / Würden Sie bitte das Fenster aufmachen?

2. mir helfen • Sie

    _____

3. mir eine Zeitung geben • du

    _____

4. die Tür schließen • du

    _____

5. mir eine Tasse Kaffee bringen • Sie

    _____

6. heute einkaufen gehen • du

    _____

7. mir das Buch leihen • du

    _____

8. das Frühstück machen • du

    _____

9. die Rechnung bringen • Sie

    _____

10. das Wohnzimmer aufräumen • du

    _____

Landeskunde-Tipp

Im Deutschen sagt man in vielen Situationen **bitte**.

bitte kann am Anfang, in der Mitte oder am Ende des Satzes stehen.

Am Anfang und am Ende trenne ich **bitte** durch ein Komma:

Bitte, geben Sie mir die Zeitung von heute!

Geben Sie mir **bitte** die Zeitung von heute!

Geben Sie mir die Zeitung von heute, **bitte**!

Bitte, kann ich Sie etwas fragen?

Kann ich Sie **bitte** etwas fragen?

Kann ich Sie etwas fragen, **bitte**?

Sie geben einer anderen Person etwas:

■ Hier ist Ihr Kaffee.

● Vielen Dank!

■ **Bitte!** / **Bitte,** gern (geschehen)!

Ü51 Der Ton macht die Musik!
Hören Sie und wiederholen Sie. Achten Sie auf die richtige Intonation.

1. Würden Sie bitte die Tür öffnen?

    Würden Sie bitte die Tür öffnen?

Wortschatz-Tipp

Sie möchten der anderen Person signalisieren:

„Es dauert nicht lange."

„Ich habe nur eine kleine Bitte.",

dann ergänzen Sie **kurz (mal)** / **schnell (mal)**, z. B.:

Könntest du bitte **schnell (mal)** einkaufen gehen?

Würden Sie mir bitte **kurz (mal)** helfen?

B. Verben im Satz

B.1. Position des Verbs im Satz (Präsens)

B.1.a Zeitangabe auf Position I

Wo ist der Fehler? Schreiben Sie den Satz richtig: _____

Ü52 **Das wird ein toller Tag!**
Unterstreichen Sie das Subjekt, markieren sie die Zeitangabe und umkreisen Sie die Verben in den Sätzen.

Meine Freundin kommt heute und besucht mich.

Ich freue mich schon sehr. Sie kommt um neun Uhr mit dem Zug an.

Dann fahren wir in meine Wohnung.

Wir frühstücken zusammen und planen unseren Tag.

Nach dem Frühstück fahren wir in die Stadt.

Wir gehen ein bisschen bummeln und kaufen sicher ein bisschen ein.

Mittags könnten wir in mein Lieblingsrestaurant gehen. Das gefällt ihr bestimmt.

Danach treffen wir meinen Freund Jan. Er zeigt uns das neue Kunst-Museum,

denn er kennt es sehr gut. So um fünf Uhr trinken wir im Café Jasmin Tee.

Dann fahren wir nach Hause und kochen zusammen.

Und dann kommt das Abendprogramm!

Zuerst in die Kneipe und danach noch in den Club – heute Nacht gibt es viel zu tun!

Kreuzen Sie an: Was ist richtig? Sie können auch mehrere Lösungen ankreuzen.

1. Das Verb steht im Satz
   - ☐ auf Position I
   - ☐ auf Position II
   - ☐ auf Position III

2. Das Subjekt steht im Satz
   - ☐ auf Position I
   - ☐ auf Position II
   - ☐ auf Position III

3. Die Zeitangabe steht im Satz
   - ☐ auf Position I
   - ☐ auf Position II
   - ☐ auf Position III

Regel

Subjekt und **Zeitangabe** können **vor** oder **nach** dem **Verb** stehen.

Ü53   Ist das wirklich richtig?

Hören Sie und kreuzen Sie an: Richtig oder falsch?

1.   Heute Abend gehe ich ins Theater.   richtig ☒   falsch ☐

2.	☐	☐		7.	☐	☐
3.	☐	☐		8.	☐	☐
4.	☐	☐		9.	☐	☐
5.	☐	☐		10.	☐	☐
6.	☐	☐		11.	☐	☐

Grammatik-Tipp

Die **kleinen Wörter** (z. B. Pronomen wie **mich**, **dich**, **mir**, **sich**, ...)
kommen **gleich nach dem Verb**, sie haben Priorität!

mich
dich
Unsere Freunde (besuchen) uns morgen.
euch

Lern-Tipp

„Das Verb liebt **kleine Wörter**!"

Ü54 ## Pläne für eine Urlaubswoche
Bilden Sie Sätze und beginnen Sie immer mit dem großgeschriebenen Wort.

1. Am Montag • ins Schwimmbad • ich • gehen

   Am Montag gehe ich ins Schwimmbad.

2. am Dienstag • Meine Eltern • mich • besuchen

   _____

3. Am Mittwoch • an den See • ich • fahren

   _____

4. am Donnerstag • zu Hause • Ich • bleiben • und • fernsehen

   _____

5. am Freitag • unsere Kollegen • Meine Freundin und ich • treffen

   _____

6. Am Wochenende • in die Berge • ich • einen Ausflug • machen

   _____

7. Am Samstag • ich • lange • wandern

   _____

8. Am Sonntag • mit einem Freund • ich • zum Bergsteigen • gehen

   _____

Grammatik-Tipp

Die **Ortsangabe** tendiert zum Ende im Satz:

Am Montag gehe ich sehr gern mit Anna **ins Schwimmbad**

Vorsicht!

Im Deutschen gibt es **kein Komma** nach der Zeitangabe!

Am Montagₓgehe ich ins Schwimmbad.

 Ü55 ## Wann machst du das?

Hören Sie und wiederholen Sie den Satz, aber beginnen Sie mit der Zeitangabe.

1. Ich gehe jeden Abend zum Laufen.

    Jeden Abend gehe ich zum Laufen.

Wortschatz-Tipp

jeden Morgen	=	morgen**s**
jeden Vormittag	=	vormittag**s**
jeden Mittag	=	mittag**s**
jeden Nachmittag	=	nachmittag**s**
jeden Abend	=	abend**s**
jede Nacht	=	nacht**s**

zum Beispiel:
Morgens esse ich ein Müsli, **mittags** einen Salat und
abends ein bisschen Obst. Ich lebe so gesund!

B.1.b Fragen

Wo ist der Fehler? Schreiben Sie den Satz richtig: _____

Vorsicht!

Auch in der **Wortfrage** steht das **Verb auf Position II**!

Ü56 ## Die Fragewörter machen die Wortfrage!
Wie viele Fragewörter kennen Sie? Notieren Sie.

was, _____

Grammatik-Tipp

Was haben alle Fragewörter gemeinsam? – Sie beginnen mit einem **W**!

Ü57 Fragen über Fragen ...
Bilden Sie Fragen.

1. du • kommen • woher • ?

   Woher kommst du?

2. arbeiten • bei Siemens • wer • ?

3. deine Eltern • wohnen • wo • ?

4. dein Sohn • sein • wie alt • ?

5. du • möchten • essen • was • ?

6. dein Name • sein • wie • ?

7. am Wochenende • du • fahren • wohin • ?

8. du • zurückkommen • nach Hause • wann • ?

9. mir • können • helfen • wer • ?

10. meine Brille • sein • wo • ?

11. du • gehen • heute Abend • wohin • ?

12. der Deutschkurs • beginnen • wann • ?

Wortschatz-Tipp

Es heißt: **Wie** ist Ihr Name / Ihre Adresse / Ihre Telefonnummer?

nicht: ~~Was~~ ist Ihr Name / ... ?

Lern-Tipp

Denken Sie an eine Visitenkarte („**Wie**sitenkarte"):

Name	Magda Kirschbaum
Adresse	Gartenstraße 6
	23551 Vorstadt
Telefonnummer	Tel.: 06631/987654

Ü58 **Welches Wort?**

Ergänzen Sie das richtige Fragewort aus dem Schüttelkasten.

> Was • Was • ~~Wie~~ • Wie • Wie • Wie • Wie alt •
> Wie lange • Wann • Wo • Woher • Wohin • Wer • Warum

1. _Wie_ ist dein Name?

2. _____ lebst du?

3. _____ kommen Sie?

4. _____ ist das? Dein Bruder?

5. _____ hast du gesagt?

6. _____ ist das? Ein Handy?

7. _____ ist deine Adresse?

8. _____ fahren Sie?

9. _____ startet das Flugzeug?

10. _____ schreibt man das?

11. _____ _____ ist deine Tochter?

12. _____ _____ dauert die Reise?

13. _____ kommst du nicht?

14. _____ ist Ihre Telefonnummer?

Ü59 Entschuldigung, ich habe Sie nicht verstanden.
Sie haben nicht richtig verstanden und fragen noch einmal.
Bilden Sie Fragen wie im Beispiel.

1. Er kommt aus Italien.

   Entschuldigung, woher kommt er?

   Aus Italien.

2. Sie wohnt in Berlin.

   _____

   In Berlin.

3. Sie ist 18 Jahre alt.

   _____

   18 Jahre.

4. Ich fahre am Wochenende nach Hamburg.

   _____

   Nach Hamburg.

5. Die Adresse von meinen Eltern ist Berggasse 3, 62543 Altstadt.

   _____

   Berggasse 3, 62543 Altstadt.

6. Das ist der Sohn von meiner Schwester.

   _____

   Der Sohn von meiner Schwester.

7. Meine Telefonnummer ist 064/395577.

   _____

   064/395577.

8. Sie spricht Chinesisch und Arabisch.

   _____

   Chinesisch und Arabisch.

9. Das ist eine Geschirrspülmaschine.

   _____

   Eine Geschirrspülmaschine.

10. Sie kommen um acht Uhr abends.

    _____

    Um acht Uhr abends.

Ü60 Wie bitte?

Nun hören Sie und fragen Sie wie in Ü59.

1. Sie heißt Evelyn. – _Wie bitte? Wie heißt sie?_ – Evelyn.

Wo ist der Fehler? Schreiben Sie den Satz richtig: _____

Regel

In der **Ja/Nein-Frage** ist das **Verb** auf **Position I**!

Hast du heute Abend Zeit?

Ja, ich habe Zeit.

Nein, ich habe keine Zeit.

In der **Wortfrage (W-Frage)** ist das **Verb** auf **Position II**!

Wann hast du Zeit?   Heute Abend.

Die Frage beginnt mit dem Verb.

Ja!   Nein!

Ü61 **So ein Chaos!**

Bilden Sie Ja/Nein-Fragen. Achten Sie auf die richtige Verbform.

1. du • haben • ein Auto • ?

   Hast du ein Auto?

2. Sie • kommen • aus Deutschland • ?

3. du • wohnen • in Hamburg • ?

4. du • haben • Geschwister • ?

5. du • sein • müde • ?

6. Sie • haben • heute • viel Arbeit • ?

7. Sie • fernsehen • jeden Abend • ?

8. er • aufstehen • jeden Morgen • so früh • ?

9. ihr • können • einkaufen • heute • für mich • ?

10. du • müssen • gehen • wirklich schon • nach Hause • ?

Wortschatz-Tipp

Ist die **Frage negativ**, aber die **Antwort positiv**, so sagt man: **doch**!
zum Beispiel:

Doch, ich habe Zeit!

Hast du heute **keine** Zeit?

Nein, ich habe **keine** Zeit.

Ü62 Fragen-Detektiv

**Lesen Sie die Antwort und schreiben
Sie die richtige Frage dazu.**

1. _Hast du Pläne für das Wochenende?_
   Ja, ich habe Pläne für das Wochenende.

2. _____
   Nein, ich spiele nicht gerne Volleyball.

3. _____
   Ich komme im September nach München.

4. _____
   Ich arbeite bei Legos.

5. _____
   Ich fahre vier Stunden nach Wien.

6. _____
   Nein danke, ich möchte keinen Wein trinken.

7. _____
   Meine Eltern, sie kommen am Wochenende zu Besuch.

8. _____
   Doch, ich möchte ein neues Auto!

9. _____
   Doch, ich habe gut geschlafen.

10. _____
    Ja, ich habe Lust auf Kino.

11. _____
    Ich möchte gern in Deutschland leben.

12. _____
    Ich fahre im Urlaub nach Schweden.

Ü63 Schnelle Reaktion gefragt!

**Hören Sie und antworten Sie kurz mit *ja*, *nein* oder *doch*.
Das ist nicht sehr höflich, aber schnell! Orientieren Sie sich an den Symbolen.**

1. Hast du keine Katze?   _Nein._

| 2. + | 3. + | 4. + | 5. + | 6. – | 7. + | 8. + | 9. – | 10. + | 11. + | 12. – |

B.1.c Imperativ

Wo ist der Fehler? Schreiben Sie den Satz richtig: _____

Regel

	Imperativ
~~Du~~ mach~~st~~ die Hausaufgaben. →	**Mach** die Hausaufgaben!
~~Du~~ gib~~st~~ Beate die Tasche. →	**Gib** Beate die Tasche!
~~Du~~ fähr~~tst~~ zu schnell. →	**Fahr** nicht so schnell!

Vorsicht!

Es gibt ein paar Ausnahmen!

Du hast Angst.	→	**Hab** keine Angst!
Du bist ruhig.	→	**Sei** ruhig!
Du wirst glücklich.	→	**Werd(e)** glücklich!

Ü64 Was Kinder alles machen müssen ...

**Ergänzen Sie die Verben aus dem Schüttelkasten
in der richtigen Imperativ-Form.**

> sprechen • fahren • ~~aufstehen~~ • schreiben • machen •
> trinken • aufräumen • helfen • ausmachen • essen • nehmen •
> gehen • anrufen • kaufen • lesen

1. _Steh auf_, es ist schon spät!

2. _____ schnell ein Marmeladebrot und _____ eine Tasse Tee!

3. _____ deine warme Jacke, es ist kalt!

4. _____ schnell zur Schule, du kommst zu spät!

5. _____ deine Hausaufgaben!

6. _____deine Großmutter ____, sie hat heute Geburtstag!

7. _____ schön, das kann keiner lesen!

8. _____ dein Zimmer _____, es ist so unordentlich!

9. _____ nicht so laut, ich kann dich gut verstehen!

10. _____ deinem Bruder bei der Mathematik-Hausaufgabe!

11. _____ noch schnell ein Brot!

12. _____ ins Bett!

13. _____ nicht mehr so lange!

14. _____ das Licht _____!

Ü65 ... aber es geht auch freundlicher!

Ergänzen Sie die Sätze im Imperativ. Was passt?

1. Da ist noch genug Kuchen, _iss noch ein Stück!_

2. Der Hund ist lieb, _____

3. Bist du müde? _____

4. Alles wird gut, _____

5. Wollen wir Fußball spielen? _____

6. Du hast doch viel Zeit heute Nachmittag.

    _____

7. Alles Gute zum Geburtstag!

    _____

a) Du holst schnell den Ball.

b) Du wirst glücklich im neuen Jahr.

c) Du isst noch ein Stück.

d) Du bist ganz ruhig.

e) Du lädst alle deine Freunde ein.

f) Du hast keine Angst.

g) Du schläfst ein bisschen.

1.	2.	3.	4.	5.	6.	7.
c						

So macht man den Imperativ mit ‚Sie'.

Regel

Imperativ

Sie	machen	die Hausaufgaben.	→	**Machen Sie** die Hausaufgaben!
Sie	geben	Beate die Tasche.	→	**Geben Sie** Beate die Tasche!
Sie	fahren	zu schnell.	→	**Fahren Sie** nicht so schnell!

Vorsicht!

Auch hier gibt es eine Ausnahme:

Sie sind ruhig.   →   **Seien Sie** ruhig!   →   nicht: ~~Sind Sie ruhig!~~

Regel

				Imperativ
~~Ihr~~	**macht**	die Hausaufgaben.	→	**Macht** die Hausaufgaben!
~~Ihr~~	**fahrt**	zu schnell.	→	**Fahrt** nicht so schnell!
~~Ihr~~	**gebt**	Beate die Tasche.	→	**Gebt** Beate die Tasche!

Ü66   **Was sollen wir machen?**
Ergänzen Sie den Imperativ in den Sätzen.

1. Herr Fritsch, _kommen Sie_ bitte in mein Büro!

2. Kinder, _____ schnell die Hausaufgaben, dann könnt ihr spielen!

3. Papa, _____ mir einen Kuss!

4. _____ bitte Platz, Frau Steiner!

5. Toni, _____ mir bitte! Ich kann das nicht alleine.

6. _____ schnell! Du verpasst sonst den Bus!

7. _____ ruhig! Hier in der Bibliothek dürfen Sie nicht sprechen!

8. _____ keine Angst, Kinder! Der Test ist nicht schwer.

9. Hier können Sie nicht bezahlen._____

    bitte dort an der Kasse.

10. _____ doch mal dieses Buch, es ist wirklich super!

11. Gute Nacht!_____ gut!

12. Du verstehst mich nicht. _____ mir endlich einmal gut ____!

Wortschatz-Tipp

Das kleine Wort **doch** macht eine Aufforderung noch intensiver:

Nehmen Sie **doch** Platz! Komm **doch** endlich!

Ü67 **Wie komme ich bitte zu ...?**

Hören Sie und kreuzen Sie an. Welche Wegbeschreibung ist richtig?

21

1. ☐ a) vom Stadtplatz zur Bergstraße gehen
→ 50 Meter mit dem Bus fahren
→ nach rechts zum Bahnhof gehen

☐ b) geradeaus zum Stadtplatz gehen
→ mit dem Bus zur Bergstraße fahren
→ 50 Meter geradeaus gehen
→ Bahnhof

2. ☐ a) hier weitergehen
→ nach 300 Metern nach rechts gehen
→ am Stadttor mit der U-Bahn zum Schillerplatz fahren
→ da ist die Kellerstraße

☐ b) nach rechts gehen → 30 Meter geradeaus
→ am Stadttor die U-Bahn Linie B nehmen
→ nach zwei Stationen am Schillerplatz aussteigen
→ noch einmal fragen

3. ☐ a) hier gleich rechts gehen → zweite Straße links
→ nach 100 Metern Offenbachplatz
→ zweite Straße ist die Schlossstraße
→ gleich links Geldautomat

☐ b) gleich hier rechts gehen und noch einmal rechts
→ am Offenbachplatz 100 Meter gehen bis zur Schlossstraße
→ gleich rechts ist der Geldautomat

4. ☐ a) an der Universität den Bus 35 nehmen
→ an der dritten Haltestelle nach rechts gehen
→ nach 30 Metern: Stadtbibliothek

☐ b) zur Bushaltestelle gehen
→ den Bus 53 nehmen
→ bis zur Universität fahren, dritte Haltestelle
→ nach rechts gehen
→ nach 30 Metern: Stadtbibliothek

B.2. Satz(klammer)

Das ist eine Klammer!

B.2.a Perfekt

Das hat gekostet sicher sehr, sehr viel Geld!

Wo ist der Fehler? Schreiben Sie den Satz richtig: _____

Ü68 Ein fauler Tag

Markieren Sie in den Sätzen das Verb.

Gestern <u>habe</u> ich nicht so viel <u>gemacht</u> (1).

Zuerst habe ich lange geschlafen (2).

Dann bin ich in die Stadt gefahren (3)

und habe in meinem Lieblingscafé gefrühstückt (4).

Meine Freundin ist auch in das Café gekommen (5)

und wir sind nach dem Frühstück zwei Stunden im Park spazieren gegangen (6).

Dann haben wir einen Ausflug an den See zum Schwimmen gemacht (7).

Wir sind erst am Abend wieder in die Stadt zurückgefahren (8).

Am Abend habe ich nur noch ein bisschen ferngesehen (9)

und bin bald ins Bett gegangen (10).

Ergänzen Sie die Regel.

Regel

Das Hilfsverb (haben/sein) steht

☐ auf Position I

☐ auf Position II

☐ am Ende vom Satz

Das Partizip Perfekt (gemacht/gegangen) steht

☐ auf Position II

☐ gleich nach dem Hilfsverb

☐ ganz am Ende vom Satz

Ich **bin** gestern Nachmittag zwei Stunden mit meiner Freundin spazieren **gegangen**.

Ich | bin | gestern Nachmittag zwei Stunden mit meiner Freundin spazieren | gegangen.

Lern-Tipp

Ein Engländer besucht Berlin. Er findet die deutsche Politik interessant und möchte im Parlament die Rede von einem Politiker hören.

Also engagiert er einen Simultan-Übersetzer. Der kann sofort aus dem Deutschen ins Englische übersetzen.

Der Engländer und sein Übersetzer sind im Parlament und der Politiker beginnt zu sprechen. Der Engländer wartet, aber der Übersetzer sagt nichts und der Politiker spricht und spricht.

Schließlich fragt der Engländer: „Warum übersetzen Sie denn nicht?"

Der Dolmetscher antwortet: „Pssst! Ich warte auf das Verb!"

Vorsicht!

Das Verb kommt wirklich **ganz** am Ende!

Ü69 Was hat Beate heute Morgen gefrühstückt?

Kombinieren Sie die Satzteile. Was passt?

1. Beate hat heute Morgen

2. Ich bin gestern Abend

3. Du hast leider

4. Wir sind nicht mehr pünktlich

5. Habt ihr letzten Sommer

6. Meine Kollegen sind heute Mittag

7. Du bist gestern mit deiner Arbeit

8. Ich habe meine Wohnung

9. Bist du schon einmal

10. Ich habe den Text leider

11. Unsere Klasse hat heute Vormittag

12. Sie ist heute Morgen schon

a) dein Handy bei mir vergessen.

b) ins Theater gekommen.

c) alle zusammen in einen Biergarten gegangen.

d) viel zu spät fertig geworden.

e) mit meinem Freund ins Kino gegangen.

f) um sechs Uhr aufgestanden.

g) schon lange nicht mehr aufgeräumt.

h) auf die Malediven geflogen?

i) einen schönen Urlaub am Meer gemacht?

j) im Deutschunterricht einen Test geschrieben.

k) überhaupt nicht verstanden.

l) ein Marmeladebrot und Kaffee gefrühstückt.

1.	2.	3.	4.	5.	6.	7.	8.	9.	10.	11.	12.
l											

Ü70 **Was machst du und was hast du gemacht?**
Schreiben Sie die Sätze zuerst im Präsens, dann im Perfekt.

1. schwimmen • ich • gerne • am Morgen • im See • .

   Ich schwimme gerne am Morgen im See.

   Ich bin früher gerne am Morgen im See geschwommen.

2. fahren • wir • am Wochenende • nach Frankfurt • .

   am Wochenende

   letztes Wochenende

   _____

3. trinken • du • zum Abendessen • ein Glas Rotwein • ?

   heute

   _____

   gestern

   _____

4. spazieren gehen • ich • Nachmittag • im Stadtpark • mit meiner Freundin • .

   heute

   _____

   gestern

   _____

5. einkaufen • meine Freundin und ich • den ganzen Tag • im Zentrum • .

   Heute

   _____

   Gestern

   _____

6. machen • mein Freund und ich • eine Bergtour • in den Alpen • .

    Heute _____

    _____

    Gestern _____

    _____

7. anrufen • ich • Abend • meine Mutter • .

    _____ *heute* _____

    _____ *gestern* _____

    _____

8. schreiben • ich • einen Bewerbungsbrief • an eine große Firma • in Hamburg • .

    _____ *heute* _____

    _____

    _____ *gestern* _____

    _____

Ü71 **Füllen Sie die Sätze!**

Hören Sie neue Satzteile und ergänzen Sie den Satz mit diesem Satzteil wie im Beispiel.

1. ich • laufen   *Ich bin gelaufen.*

2. gestern Nachmittag   Ich bin *gestern Nachmittag* gelaufen.

3. eine Stunde lang   Ich bin gestern Nachmittag *eine Stunde lang* gelaufen.

4. mit meiner Freundin

    Ich bin gestern Nachmittag eine Stunde lang *mit meiner Freundin* gelaufen.

5. im Park

    Ich bin gestern Nachmittag eine Stunde lang mit meiner Freundin *im Park* gelaufen.

B.2.b Modalverben

Wo ist der Fehler? Schreiben Sie den Satz richtig: _____

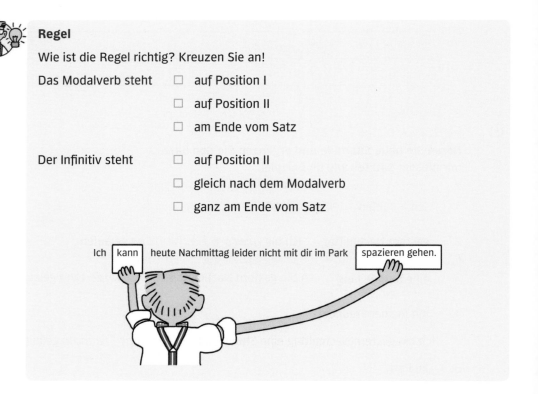

Regel

Wie ist die Regel richtig? Kreuzen Sie an!

Das Modalverb steht ☐ auf Position I

☐ auf Position II

☐ am Ende vom Satz

Der Infinitiv steht ☐ auf Position II

☐ gleich nach dem Modalverb

☐ ganz am Ende vom Satz

Ü72   Hier müssen Sie aufräumen!

Ordnen Sie die Wörter und bilden Sie Sätze.
Achten Sie auf die richtige Form des Modalverbs.

1.   gehen müssen • nach Hause • er • jetzt • .

Er muss jetzt nach Hause gehen. / Jetzt muss er nach Hause gehen.

2.   verstehen können • ich • leider • den Text • nicht • .

_____

3.   beginnen wollen • ein Medizinstudium • ich • nächstes Jahr • .

_____

4.   fragen dürfen • Sie • ich • etwas • ?

_____

5.   helfen können • Ihnen • ich • ?

_____

6.   trinken möcht- • gerne • eine Tasse Tee • ich • .

_____

7.   aufhören müssen • mit dem Rauchen • unbedingt • du • .

_____

8.   fotografieren dürfen • im Museum • nicht • man • .

_____

9.   lernen müssen • jeden Tag • neue Wörter • Sie • .

_____

10. stehen müssen • am Satzende • das Modalverb • .

_____

11. machen wollen • einen Salsa-Kurs • nächsten Monat • er •
mit seiner Freundin • .

_____

12. aufmachen dürfen • das Fenster • ich • kurz • bitte • ?

_____

Ü73 Seien Sie ein Besserwisser!

Hören Sie und kreuzen Sie an: Ist der Satz richtig oder falsch? Schreiben Sie die Sätze richtig.

	richtig	falsch	
1.	☒	☐	*Kannst du mir bitte schnell helfen?*
2.	☐	☐	_____
3.	☐	☐	_____
4.	☐	☐	_____
5.	☐	☐	_____
6.	☐	☐	_____
7.	☐	☐	_____
8.	☐	☐	_____
9.	☐	☐	_____
10.	☐	☐	_____
11.	☐	☐	_____
12.	☐	☐	_____

C. Verben und Ergänzungen

C.1. Valenz der Verben

C.1.a Verben mit Akkusativ

Wo ist der Fehler? Schreiben Sie den Satz richtig: _____

Regel

Jedes **Verb** braucht ein **Subjekt**, das Subjekt ist immer im Nominativ:

| schlafen | → | **Der Mann** schläft. |
| schwimmen | → | **Ich** schwimme. |

Die meisten **Verben** brauchen auch eine **Ergänzung** (= **Objekt**), hier im Akkusativ:

| essen | → | **Der Mann** | isst | **einen Apfel**. |
| kaufen | → | **Ich** | kaufe | **einen Fernseher**. |

Ü74   *Wen oder was?*

Markieren Sie die Akkusativ-Ergänzung und ergänzen Sie die Tabelle.
Vorsicht: Ein paar Sätze haben keine!

1. Anna isst <u>einen Joghurt</u> mit Honig.

2. Ich kaufe einen Liter Milch.

3. Ich schwimme sehr gern.

4. Jeden Tag lerne ich die neuen Wörter.

5. Mein Mann räumt das Wohnzimmer auf.

6. Die Kinder lernen Sprachen in der Schule.

7. Ich habe einen Hund und eine Katze.

8. Heute Abend treffe ich meinen Freund und wir gehen ins Kino.

9. Ich laufe am Morgen im Park.

10. Ich suche den Autoschlüssel.

11. Jeden Morgen lese ich beim Frühstück die Zeitung.

	maskulin	feminin	neutral	Plural
Nominativ	der	die	das	die
Akkusativ				
Nominativ	ein	eine	ein	–
Akkusativ				
Nominativ	mein	meine	mein	meine
Akkusativ				

Kreuzen Sie an: Was ist richtig?

☐ Der Akkusativ und der Nominativ sind immer gleich.

☐ Der Akkusativ ist nur im **Maskulinum** anders. Im Femininum,
Neutrum und Plural sind Akkusativ und Nominativ gleich.

Lern-Tipp

"Nur die Formen im Maskulinum
sind schwierig? Klar, ...!"

 Klar, immer die Männer
machen Probleme!

Ü75 Drama oder Happy End?

Ergänzen Sie das Objekt im Akkusativ.

Daniela trifft jeden Abend *ihren Freund* (1) (ihr Freund) in einer Kneipe.

Dort trinken sie _____ (2) (ein Glas Bier) oder

_____ (3) (eine Apfelschorle) und hören

_____ (4) (gute Musik).

Heute kommt Daniela spät, denn sie hat _____ (5) (der Bus) verpasst.

Marco wartet und fragt nervös _____ (6) (der Kellner):

„Haben Sie _____ (7) (eine Uhr)?

Wie spät ist es?" Aber der Kellner hat _____ (8) (keine Uhr)

und antwortet: „Nein, leider nicht!"

Da sieht Marco _____ (9) (sein Freund Bastian)

und freut sich: „Hey, lange nicht gesehen!"

Die beiden Freunde bestellen _____ (10) (eine Flasche Wein)

und erzählen und lachen viel.

Dann kommt Daniela, aber die beiden haben _____ (11) (keine Zeit)

für sie. Daniela ist sauer.

Sie bezahlt _____ (12) (der Cocktail) und geht nach Hause.

Am nächsten Morgen ...

Ü76 Was sehen Sie, Mister Watson?

Markieren Sie das Subjekt, das Verb und das Akkusativ-Objekt in den folgenden Sätzen. Vorsicht: Das Verb kann auch zwei Teile haben.

1. Heute (bezahle) ich die Rechnung

   für meine Freunde.

2. Den ganzen Tag habe ich Deutsch

   gelernt und Hausaufgaben gemacht.

3. Kannst du mir bitte die Grammatik

   noch einmal erklären?

4. Frank hat gestern einen Anruf von seinem Chef bekommen.

5. Dieses Jahr möchte ich meinen Urlaub im Juli nehmen.

6. Meine Tochter schläft am Wochenende immer sehr lang.

7. Das ganze Haus habe ich heute alleine aufgeräumt!

8. Wir möchten heute Abend im Fernsehen einen Film anschauen.

9. Am Samstag hole ich meine Eltern vom Flughafen ab.

10. Er kauft am Nachmittag im Supermarkt ein.

11. Liest du gerne die Zeitung oder siehst du lieber die Nachrichten im Fernsehen?

12. Sabine hat ihre Brille gesucht und im Badezimmer gefunden.

Grammatik-Tipp	
Nominativ	**Akkusativ**
ich	mich
du	dich
Alle Personalpronomen finden Sie unter D.3.!	

> Ich liebe dich! Liebst du mich auch?

Ü77 Wie bitte? *Wen?*

Hören Sie und antworten Sie wie im Beispiel.

1. ● Ich frage den Lehrer.

   ■ Wie bitte? Wen fragst du?

   ● *Den Lehrer.*

C.1.b Verben mit Dativ

Moment, ich helfe Sie!

Wo ist der Fehler? Schreiben Sie den Satz richtig: _____

Regel

Einige Verben brauchen eine **Ergänzung** (= Objekt) **im Dativ**:

Ich **helfe** der alten Dame.

Der Porsche **gehört** meinem Vater.

Ü78 *Wem?*

Wo finden Sie in den Sätzen Dativ-Ergänzungen? Markieren Sie sie.

1. Der letzte Urlaub in Frankreich hat <u>meinem Mann</u> besonders
   gut gefallen.
2. Ich finde den Termin gut, aber er passt leider dem Chef nicht.
3. Schokoladenkuchen schmeckt meiner Tochter sehr gut.
4. Am Samstag spielt der Vater den ganzen Tag mit seinem Sohn Fußball.
5. Ich kann das nicht! Kannst du mir bitte helfen?
6. Einem Kind muss man immer gut zuhören.
7. Wem dieser Ball gehört? Der gehört doch den Kindern meiner Nachbarin!
8. Einen Moment! Zuerst muss ich denken, dann antworte ich dir!
9. Ich höre dieses Lied den ganzen Tag, es gefällt mir so gut!
10. Frag mich nicht immer! Hör doch einfach der Lehrerin zu!

Ergänzen Sie die Tabellen. Die Sätze oben helfen Ihnen.

	maskulin	feminin	neutral	Plural
	de*m*	d__	d___	d__
Dativ	*einem*			–
	mein___	mein__	mein___	mein__

Grammatik-Tipp

Nominativ

ich   du   Sie

Dativ

mir   dir   Ihnen

Vorsicht!

Im **Dativ Plural** haben fast alle Nomen ein **–n** am Ende:

(Ausnahme: **Nomen** mit **–s im Plural**, z. B.: das Auto, Autos)

Die Schokolade gehört **den** Kinder**n**.

Ü79 **Passt das?**

Ergänzen Sie die Verben aus dem Schüttelkasten in der richtigen Form.

helfen • antworten • schmecken • gehören • ~~gefallen~~ • stehen • passen • passen

1. Wir wohnen jetzt schon ein Jahr in Hamburg,

    und die Stadt *gefällt* der ganzen Familie wirklich gut.

2. Der Pullover ist schön, aber grün _____ mir einfach nicht!

3. In vielen Familien _____ die Kinder den Eltern zu Hause.

4. Der Mantel _____ meinem Sohn gar nicht, er ist viel zu groß.

5. Weißwürste sind eine Spezialität in Bayern.

    _____ dir Weißwürste?

6. Ich kann morgen um 14 Uhr kommen. _____ Ihnen das?

7. Klara ist sauer und _____ ihrem Mann nicht.

8. Warum trägst du meinen Pullover? Der _____ mir.

Lern-Tipp

Lernen Sie die Verben mit Dativ immer als Satz, z. B.: Ich helfe **dir**.

Oder als kleine Situation: „Der Pullover gefällt **mir** und er steht **mir**, aber er passt **mir** leider nicht!"

Ü80 **Ja, klar, aber sicher!**

Hören Sie die Fragen und antworten Sie immer mit _Ja, klar!_ oder _Aber sicher!_

25

1. ● Schmeckt dir Apfelsaft?

   ■ Ja, klar, Apfelsaft schmeckt mir! /

   Aber sicher, Apfelsaft schmeckt mir!

2. ● Gefällt dir Deutschland?

3. ● Steht mir das Kleid?

4. ● Gehört Ihnen der rote Porsche?

5. ● Passt Ihnen der Termin?

6. ● Können Sie mir bitte kurz helfen?

7. ● Gefallen dir die Bilder?

8. ● Hören Sie mir bitte gut zu?

9. ● Passen dir die Schuhe?

10. ● Gefällt dir meine neue Brille?

11. ● Schmecken dir die Trauben?

12. ● Liebst du mich?

C.2. Verben mit Subjektersatz

Wo ist der Fehler? Schreiben Sie den Satz richtig: _____

Vorsicht!

Bei **sein** und **geben** kann **es** für das Subjekt stehen.

Es ist ... steht immer mit einem **Adjektiv**.

Es gibt ... steht immer mit einem **Nomen**.

Ü81 **Wie ist das Wetter?**

Ergänzen Sie die Sätze mit *es ist* oder mit *es gibt*.

1.   *Es ist* heute sehr sonnig.

2.   _____ windig seit heute Morgen.

3.   _____ diesen Winter viel Schnee.

4.   Heute _____ gar keinen Wind.

5.   In Norddeutschland _____ heute Nachmittag Gewitter.

6.   _____ in Ihrem Land oft Nebel?

7.   Im November _____ in Deutschland oft neblig.

8.   _____ wirklich stürmisch heute.

9.   Heute _____ den ganzen Tag keine Sonne.

10. _____ bewölkt und es regnet.

11. Fahren Sie vorsichtig, auf den Straßen _____ Schnee und Eis!

12. Manchmal _____ im Sommer Gewitter und Hagel.

Vorsicht!

Ich spreche über die Temperatur:

Es sind 23 Grad.   Es sind 5 Grad minus.   Es ist ein Grad plus.

Wortschatz-Tipp

Es ist ...	**Es gibt ...**
kalt/warm/heiß.	Regen/Hagel/Schnee.
windig/stürmisch.	Wind/Sturm.
sonnig.	Sonne.
wolkig/bewölkt.	Wolken.
neblig.	Nebel.
nass/feucht/trocken.	Gewitter.

... oder benützen Sie direkt das Verb mit dem Subjektersatz **es**:

Es ...

regnet.	stürmt.
hagelt.	blitzt.
schneit.	donnert.
aber:	Die Sonne scheint.

Landeskunde-Tipp

Sie möchten mit Deutschen sprechen? Sprechen Sie über das Wetter, das ist immer ein gutes Thema! Man kann sich zusammen über das herrliche, wunderbare Wetter freuen – oder sich zusammen ärgern, denn viele Leute sind oft mit dem Wetter nicht zufrieden! Sie denken, es ist zu kalt, es gibt zu viel Regen, es ist zu windig oder es ist zu lange schon trocken oder zu heiß.

Also: Lernen Sie gut die Wörter für das Wetter!

Ü82 Das Wetter in Deutschland

Ergänzen Sie die fehlenden Verben aus dem Schüttelkasten.

> scheint • wechselt • schneit • schneit • schneit • schneit • ist • ist • ist •
> ist • ist • ist • ist • ist • ist • gibt • gibt • gibt • gibt • gibt • gibt •
> gibt • hat • bleibt • sind • beginnt • kommt • stürmt • regnet

Im Winter _schneit_ (1) es in Deutschland oft. Manchmal _____ (2)

es viel Schnee und Eis, aber manchmal _____ (3) es nur wenig

und der Schnee _____ (4) nicht. Im Süden _____ (5) der Winter

oft sehr kalt. Besonders im Januar und Februar _____ (6) minus 10

bis 15 Grad nicht selten.

Der Himmel _____ (7) oft bewölkt und grau, aber es _____ (8) auch

sonnige Tage. Der Frühling _____ (9) im März.

Im April _____ (10) das Wetter viel:

Einmal _____ (11) die Sonne, dann _____ (12)

es wieder, dann _____ (13) es viele Wolken und es _____ (14) windig,

dann _____ (15) es wieder sonnig, und vielleicht _____ (16)

es auch noch – und alles an einem Tag!

Im Mai und im Juni _____ (17) es oft schon heiß und der Sommer

_____ (18).

Es _____ (19) gute Sommer mit viel Sonne und es _____ (20)

schlechte Sommer mit viel Regen.

Oft _____ (21) es im Sommer am Abend oder

in der Nacht ein Gewitter, manchmal auch mit Hagel.

Meistens _____ (22) es im Sommer 20 bis 35 Grad.

Im Herbst _____ (23) es oft.

Manchmal _____ (24) es noch schön warm,

aber manchmal _____ (25)

es auch schon im Oktober oder November.

Aber der Schnee _____ (26) auch schnell wieder weg.

Oft _____ (27) es im November sehr neblig,

dann _____ (28) es gefährlich auf den Straßen.

Sie sehen, es _____ (29) alle Möglichkeiten!

Vorsicht!

Es schneit.

Die Sonne scheint.

Ü83 Kleine Variationen über das Wetter
Sagen Sie es anders, wie im Beispiel!

1. Die Sonne scheint.
   Es ist sonnig.

D

D. Nomen und Pronomen

D.1. Nomen

D.1.a maskulin, feminin, neutral

Gehen wir spazieren? Der Sonne scheint heute so schön!

Wo ist der Fehler?
Schreiben Sie den Satz richtig: _____

Lern-Tipp

Lernen Sie die Nomen **immer** zusammen mit dem Genus!

Es gibt ein paar Regeln, aber es gibt auch viele Ausnahmen ...

Markieren Sie in Ihrer Wörterliste die Nomen mit typischen Farben:

der Mann / **die Frau** / **das Kind**

Assoziationen helfen auch:

Sie lernen: **der Tisch**

Denken Sie an einen Mann, der auf einem Tisch sitzt!

Regel

Wenn Sie schon mehr Wörter kennen, dann macht es Sinn, die Regeln zu lernen. Hier nur ein paar Tipps:

maskulin sind

Natürlich **alle Männer**!

Fast alle **alkoholischen Getränke**

(**der** Wein, **der** Schnaps, **der** Whisky – **aber:** das Bier!)

Tage, Monate, Jahreszeiten (**der** Montag, **der** Januar, **der** Frühling)

feminin sind

Natürlich **alle Frauen**!

Viele Nomen mit **zwei Silben** und **-e am Ende** (**die** Klasse, **die** Lampe, **die** Frage)

Alle Nomen mit der **Endung -ung** (**die** Zeitung, **die** Verbindung, **die** Bestellung)

Alle Nomen mit der **Endung -ei** (**die** Türkei, **die** Bäckerei, **die** Metzgerei)

neutral sind

Nomen mit **Ge- am Anfang** (**das** Gespräch, **das** Gesicht, **das** Gemüse)

Nomen mit der **Verkleinerung -chen** am Ende (**das** Tischchen, **das** Kindchen)

(und **das Mädchen**! → Im alten Deutsch hat man gesagt: die Maid, eine kleine Maid war ein Maidchen = Mädchen. Das ist bis heute geblieben. Das **-chen** macht ein **Mädchen neutral** und **nicht feminin**!)

Alle Nomen, die man aus einem **Infinitiv** macht (**das** Essen, **das** Schreiben, **das** Laufen)

D

Ü1 **Blau, rot oder grün?**
Markieren Sie das richtige Genus der Nomen.

		maskulin	feminin	neutral
1.	Student	☒	☐	☐
2.	Geschäft	☐	☐	☐
3.	Suppe	☐	☐	☐
4.	Lehrerin	☐	☐	☐
5.	Wohnung	☐	☐	☐
6.	Prüfung	☐	☐	☐
7.	Aperitif	☐	☐	☐
8.	Freitag	☐	☐	☐
9.	Begrüßung	☐	☐	☐
10.	Arzt	☐	☐	☐
11.	Junge	☐	☐	☐
12.	Schwimmen	☐	☐	☐
13.	Winter	☐	☐	☐
14.	Erde	☐	☐	☐
15.	Malerei	☐	☐	☐
16.	Tanzen	☐	☐	☐
17.	Erde	☐	☐	☐
18.	September	☐	☐	☐

D.1.b Nomen im Singular und Plural

Wo ist der Fehler?

Schreiben Sie den Satz richtig: _____

Schreib-Tipp

Nomen und Namen schreiben Sie immer groß!
der **Fehler** / **A**nna / **Hamburg**

Lern-Tipp

Beim Plural gibt es Regeln, aber auch sehr viele Ausnahmen. Das ist nicht leicht.

Schreiben Sie den Plural von neuen Wörtern wie oben in eine Liste mit den Kategorien! Dann bekommen Sie ein Gefühl für die richtige Form und finden sie bald automatisch.

Lernen Sie ein Nomen **immer** zusammen mit dem Plural!

Schreiben Sie ein Nomen so:
        r Mann, ⁻er
        e Frau, **-en**
        s Kind, **-er**

Hier haben Sie alle wichtigen Informationen:
Genus (de**r**, di**e**, da**s**) und **Plural** nach dem Komma!

Ü2 **Fehler, Väter und Fische**

Suchen Sie im Schüttelkasten die Wörter im Singular und Plural.
Schreiben Sie die beiden Formen in die passende Plural-Kategorie.

die Länder • der Apfel • die Eier • der Fisch • die Übungen • die Sätze •
die Freundinnen • die Katzen • das Haus • die Kuchen • der Hund • die Katze •
das Baby • die Möglichkeit • der Fehler • die Würste • die Flasche • die Restaurants • die Schilder • die Übung • die Mütter • die Studentin • die Äpfel • die Fehler •
das Schild • das Ei • die Wurst • die Babys • die Freundin • die Fische • der Kuchen
• die Mutter • die Flaschen • die Häuser • die Möglichkeiten • die Studentinnen •
der Satz • das Restaurant • die Hunde • das Land

	Singular	Plural	Plural-Endung
1.	*der Lehrer*	*die Lehrer*	
	_____	_____	
	_____	_____	–
	der Vater	*die Väter*	
	_____	_____	
	_____	_____	¨
2.	*der Tisch*	*die Tische*	
	_____	_____	
	_____	_____	-e
	der Wunsch	*die Wünsche*	
	_____	_____	
	_____	_____	¨e
3.	*das Kind*	*die Kinder*	
	_____	_____	
	_____	_____	-er
	das Buch	*die Bücher*	
	_____	_____	
	_____	_____	¨er

	Singular	Plural	Plural-Endung
4.	*die Tante*	*die Tanten*	-n
	die Rechnung	*die Rechnungen*	-en
5.	*die Lehrerin*	*die Lehrerinnen*	-nen
	das Auto	*die Autos*	-s

Was ist richtig? Vorsicht: Es können auch beide Möglichkeiten richtig sein!

Gruppe 1: Der Plural **bleibt gleich**
a) ☒ bei vielen Nomen mit den Endungen **-er**, **-el** und **-en**.
b) ☐ nur bei maskulinen Personen.

Gruppe 2: Der Plural nimmt **-e** oder **̈e**
a) ☐ bei allen Nomen mit der Endung **-sch**.
b) ☐ bei vielen maskulinen Nomen mit nur einer Silbe.

Gruppe 3: Der Plural nimmt **-er** oder **̈er**
a) ☐ bei vielen neutralen Nomen mit nur einer Silbe.
b) ☐ bei allen Nomen mit der Endung **-d**.

Gruppe 4: Der Plural nimmt **-n**, **-en** oder **-nen**
a) ☐ bei vielen femininen Nomen mit der Endung **-e**.
b) ☐ bei allen Nomen mit der Endung **-ung** und **-keit**.

Gruppe 5: Der Plural nimmt **-s**
a) ☐ bei vielen Internationalismen (= nicht original deutsche Wörter).
b) ☐ nur bei Wörtern mit der Endung **-y**.

Ü3 Fit im Plural!

Hören Sie den Singular und ergänzen Sie den Plural wie im Beispiel.

🎧 27

1. der Fehler   *die Fehler*

> **Wortschatz-Tipp**
>
> **der Freund**   Das ist ein Mann (oder ein Junge).
>
> **die Freunde**   Das sind zwei oder viele Männer oder Männer und
>   Frauen, also alle meine Freunde zusammen.
>
> **die Freundin**   Das ist eine Frau (oder ein Mädchen).
>
> **die Freundinnen** Das sind zwei oder viele Frauen – aber nur Frauen,
>   keine Männer!

Ü4 Es ist nie genug!

Setzen Sie die Nomen in den Plural.

1. Viele Leute haben ein Auto, aber ich will mindestens zwei *Autos*!

2. Viele Leute haben ein Haus, aber ich will mindestens zwei _____!

3. Viele Leute essen pro Tag einen Apfel, aber ich esse immer fünf _____!

4. Viele Leute haben einen großen Wunsch, aber ich habe immer viele _____!

5. Viele Leute haben einen Hund, aber ich habe sieben _____!

6. Viele Leute haben einen Computer, aber ich habe vier _____!

7. Viele Leute haben ein Handy, aber ich habe drei _____!

8. Viele Leute machen pro Jahr eine Reise, aber ich mache fünf _____!

9. Viele Leute lesen manchmal ein Buch, aber ich lese nie _____!

10. Viele Leute sehen am Abend einen Film, aber ich sehe immer drei _____!

11. Viele Leute haben ein Fahrrad, aber ich habe zehn _____!

12. Viele Leute haben ein Problem, aber ich habe viele _____ ...

D.2. Artikel

D.2.a Definiter und indefiniter Artikel

Komm, ich habe das Auto. Ich kann dich fahren.

Wo ist der Fehler?

Schreiben Sie den Satz richtig: _____

Regeln

Ich habe **ein** Haus.	**Das** Haus ist schön.
Eine Frau geht spazieren.	**Die** Frau hat einen kleinen Hund.
Ich möchte **eine** Tasse Kaffee.	Ich trinke **den** Kaffee immer mit Milch.

ein / eine / ein   Ich nenne ein Nomen das erste Mal, es ist nicht bekannt.

der / die / das   Ich nenne ein schon bekanntes Nomen. Ich habe schon von
dem Nomen gehört oder es gibt das Nomen nur ein Mal.

Alle Menschen brauchen **(–)** Liebe.

Ich trinke gern **(–)** Milch.

Ich gehe mit **(–)** John spazieren.

Nullartikel   Ich nenne ein Nomen, das ich nicht zählen kann,
oder einen Eigennamen.

Grammatik-Tipp

Die Deklination vom definiten und indefiniten Artikel können Sie noch
einmal nachlesen in C.1.a, Ü74 und in C.1.b, Ü78.

Ü5 Im Restaurant
Markieren Sie den richtigen Artikel.

- Guten Tag! Möchten Sie den/<u>einen</u> (1) Tisch für zwei Personen?

- Ja, gern. Haben Sie den/einen (2) Tisch am Fenster?

- Natürlich. Möchten Sie schon die/– (3) Getränke bestellen?

- Ja, bitte die/eine (4) Flasche Weißwein. Was können Sie empfehlen?

- Heute haben wir den/einen (5) sehr guten Weißwein aus der/einer (6) Toskana. Der/Ein (7) Wein ist sogar ‚bio'.

- Gut, wir nehmen den/einen (8) Weißwein und das/ein (9) Mineralwasser. Und bitte bringen Sie uns die/eine (10) Speisekarte!

- Natürlich.

- Möchten Sie bestellen?

- Ja, bitte. Wir nehmen die/eine (11) Fischplatte *La mer* für zwei Personen, den/einen (12) gemischten Salat und den/einen (13) Tomatensalat.

- Sehr gern.

- Möchten Sie noch das/ein (14) Dessert? Wir haben heute die/eine (15) ausgezeichnete Mousse au Chocolat oder den/einen (16) Apfelstrudel mit Vanillesoße.

- Gut, wir probieren die/eine (17) Mousse au Chocolat – mit zwei Löffeln, bitte!

- Selbstverständlich.

- Die/eine (18) Rechnung, bitte!

- Kommt sofort!

Landeskunde-Tipp

Sie sitzen in einem Café oder in einem Gasthaus. Alle Tische sind besetzt.
Ein Mann oder eine Frau kommt und fragt: „Ist hier noch frei?"

Das ist nicht unhöflich, sondern in einer Kneipe, im Café, im Gasthaus oder im
Biergarten ganz normal! In einem sehr teuren Restaurant ist das nicht üblich.

Sie möchten lieber alleine bleiben? Dann sagen Sie einfach: „Nein, tut mir leid!"
Das ist schon in Ordnung! Vielleicht warten Sie ja auf einen Freund oder eine
Freundin ...

Landeskunde-Tipp

Sie geben immer Trinkgeld, nur dann nicht, wenn der Service wirklich schlecht war.

Sie geben zwischen fünf und zehn Prozent von der Rechnung.

Ihre Rechnung ist zum Beispiel 18,50 Euro. Nun haben Sie drei Möglichkeiten:

Sie geben dem Kellner / der Kellnerin 20 Euro und sagen: „Stimmt so!" oder
„Der Rest ist für Sie!"

Sie geben dem Kellner / der Kellnerin 50 Euro und sagen: „20, bitte!"

Sie bezahlen 18,50 Euro und lassen das Trinkgeld auf dem Tisch liegen.

Ü6 **Der Kuchen schmeckt fantastisch!**
**Ergänzen Sie den passenden Artikel. Vorsicht: Manchmal brauchen
Sie auch keinen Artikel!**

1. Haben Sie _–_ Kinder? Ja, ich habe _ein_ Kind.

2. Ich esse gern _____ Schokolade und trinke dazu _____ Glas _____ Milch.

3. Ich habe heute _____ Nusskuchen gebacken. Möchtest du probieren? –

   Mmh, _____ Kuchen schmeckt fantastisch!

4. _____ Sonne scheint. Wollen wir _____ Spaziergang machen?

5. Magst du _____ klassische Musik? – Oh ja! Besonders _____ Bach

   und _____ Beethoven gefallen mir sehr.

6. Übrigens habe ich heute schon _____ Wohnzimmer aufgeräumt und _____

   Kinder von _____ Schule abgeholt. Jetzt kannst du _____ Einkäufe machen, ja?

7. Als Kind hatte ich _____ Katze. Jede Nacht hat _____ Katze in meinem
   Bett geschlafen.

8. Ich trinke gern _____ Tee, aber _____ Kaffee mag ich noch lieber.

9. Ich habe nie _____ Geld! Ich weiß auch nicht, warum!

10. Hast du schon _____ neuen Lehrer für _____ Mathematik gesehen?

Grammatik-Tipp

die Schokolade + **der Kuchen** = **der** Schokolade**nkuchen**

Bei Komposita ist das „**spezielle**" Wort am Anfang und das „**generelle**" Wort am Ende.

Das „**generelle**" **Wort** gibt dem ganzen Kompositum den **Artikel**!

Ü7   Wie geht das zusammen?

Hören Sie die zwei Nomen und bilden Sie daraus ein Kompositum wie im Beispiel.

1. der Garten + die Tür = *die Gartentür*

Lern-Tipp

Kennen Sie das Kinderspielzeug „Lego"? Mit deutschen Wörtern kann man auch so viele neue Wörter bauen wie mit „Lego"!

Seien Sie kreativ und probieren Sie! Auch wenn es manchmal nicht richtig ist: Man kann Sie verstehen und: **Am besten lernt man durch seine Fehler!**

Wortschatz-Tipp

Ich komme **aus Italien**.

Und ich komme **aus der Schweiz**!

Fast alle Länder brauchen **keinen** Artikel (Deutschland, Italien, Frankreich, England, Australien, Chile, Russland, ...)

Aber einige Länder **brauchen** einen Artikel!

Zum Beispiel
der   Irak, Iran, Sudan, Libanon
die   Schweiz, Türkei, Slowakei, Ukraine
die (Pl) USA, Vereinigten Arabischen Emirate, Niederlande, Philippinen

Vorsicht!

Ich komme aus ...

Ich lebe/wohne in ...

+ Dativ!

Ü8 Ein bisschen Geografie!

Hören Sie und antworten Sie wie im Beispiel. Vorsicht: Manchmal gibt es Artikel!

🎧 29

1. Deutschland

Wo liegt Hamburg? *In Deutschland.*

2.	USA	11.	Syrien
3.	Frankreich	12.	Türkei
4.	Großbritannien	13.	Belgien
5.	Niederlande	14.	Slowakei
6.	Schweiz	15.	Kroatien
7.	Irak	16.	Dänemark
8.	Russland	17.	Finnland
9.	Ukraine	18.	Australien
10.	Griechenland	19.	Chile

D.2.b Negation

Das ist nicht eine gute Idee!

Wo ist der Fehler?

Schreiben Sie den Satz richtig: _____

Regel

Indefiniter Artikel und Nullartikel	→	**Negation kein/e**
Das ist **eine** gute Idee.	→	Das ist **keine** gute Idee.
Brauchst du **(–)** Milch?	→	Nein, ich brauche **keine** Milch.

| Definiter Artikel | → | **Negation nicht** |
| Ich kaufe das Auto. | → | Ich kaufe das Auto **nicht**. |

Wenn der ganze Satz negativ ist, steht **nicht** am Ende.

→ Ich kaufe **nicht** dieses Auto, sondern das andere.

Wenn nur das Nomen negativ ist, aber es eine andere Möglichkeit gibt, steht **nicht** vor dem Nomen.

Ich schlafe. → Ich schlafe **nicht**. / Ich schlafe heute **nicht**./ Heute schlafe ich **nicht**.

Wenn der ganze Satz negativ ist, steht **nicht** hinter dem Verb.

Vorsicht!

Das Subjekt oder eine Zeitangabe bleibt direkt hinter dem Verb!

Ü9 Nichts zu essen!
Ergänzen Sie die fehlenden Negationen.

Hast du _nicht_ (1) gesehen? Wir müssen einkaufen gehen!

Wir haben _____ (2) Lebensmittel mehr im Haus. Im Kühlschrank gibt es

_____ (3) Butter mehr, auch _____ (4) Käse und _____ (5) Wurst.

Auch ist _____ (6) mehr genug Brot da. Saft und Wasser sind auch _____ (7)

mehr im Keller. Heute Morgen konnten wir _____ (8) frühstücken, denn wir haben

_____ (9) Milch mehr und auch _____ (10) Kaffee.

Und hast du gestern _____ (11) die letzte Flasche Bier getrunken?

Wir haben auch schon lange _____ (12) Obst mehr gegessen.

Aber mein Chef hat mich noch _____ (13) bezahlt.

Hast du noch Geld, oder hast du auch _____ (14) Geld mehr?

Dann gehen wir zu Mama und Papa, da ist immer etwas im Kühlschrank ...

Wortschatz-Tipp

ein Liter ~~von~~ Milch ein Liter Milch

Ü10 Warum so negativ?

Schreiben Sie den Satz mit Negation.

1. Wir haben eine Katze.

    Wir haben keine Katze.

2. Ich laufe heute im Park.

3. Am Wochenende schlafe ich gerne lang.

4. Möchtest du einen Kaffee trinken?

5. Er hat eine neue Deutschlehrerin.

6. Ich kann schwimmen.

7. Ich mag die neuen Nachbarn.

8. Kaufst du das rote Sofa?

9. Fährst du jetzt in die Stadt?

10. Sie kommen aus Deutschland.

D

Ü11 Schnelle Reaktion gefragt!
Hören Sie und antworten Sie negativ, wie im Beispiel.

🎧 30

1. Ich esse eine Banane.   *Ich esse keine Banane.*

D.2.c Possessivartikel

Wo ist der Fehler?
Schreiben Sie den Satz richtig: _____

Regel

Singular

1. Person	ich	**mein**
2. Person	du	**dein**
3. Person	er/es	**sein**
	sie	ihr

Plural

1. Person	wir	**unser**
2. Person	ihr	**euer**
3. Person	sie	ihr
	Sie	Ihr

Diese Formen sind nicht schwer!

Wortschatz-Tipp

Die Endungen sind wie beim **indefiniten Artikel** und im Plural wie bei **keine**:

Nominativ

Das ist	ein(-) Mann (m) / Kind (n).		Das ist	mein(-) Mann / Kind.
Das ist	eine Frau (f).		Das ist	meine Frau.
Das sind	keine Bücher (Pl).		Das sind	meine Bücher.

Akkusativ wie Nominativ, **aber**:

Ich liebe	einen Mann (m).		Ich liebe	meinen Mann.

Dativ

Ich helfe	einem Mann (m) / Kind (n).		Ich helfe	meinem Mann / Kind.
Ich helfe	einer Frau (f).		Ich helfe	meiner Frau.
Ich helfe	keinen Kindern (Pl).		Ich helfe	meinen Kindern.

Alle Possessivartikel haben diese Endungen!

Vorsicht!

Wir sprechen über **einen Mann**, also benützen wir den Possessivartikel **sein**:

Benni hat einen Hund. Das ist **sein(-) Hund**.

Benni hat eine Katze. Das ist **seine Katze**.

Wir sprechen über **eine Frau**, also benützen wir den Possessivartikel **ihr**:

Beate hat einen Hund. Das ist **ihr(-) Hund**.

Beate hat eine Katze. Das ist **ihre Katze**.

Die Endung muss zum folgenden Nomen passen:

Hund = maskulin	→	Endung: **(-)**
Katze = feminin	→	Endung: **-e**

D

Wem gehört das?

Ergänzen Sie den richtigen Possessivartikel.

1. Wem gehört die Schokolade? Dir?

   Ja, das ist *meine* Schokolade.

2. Wem gehört das Auto? Deinen Eltern?

   Ja, das ist _____ Auto.

3. Wem gehört der Hund? Dir und deinem Bruder?

   Ja, das ist _____ Hund.

4. Wem gehört das Handy? Deiner Schwester?

   Ja, das ist _____ Handy.

5. Wem gehört das Fahrrad? Dir?

   Ja, das ist _____ Fahrrad.

6. Wem gehört die Brille? Deiner Schwester?

   Ja, das ist _____ Brille.

7. Wem gehört die Jacke? Deinem Bruder?

   Ja, das ist _____ Jacke.

8. Wem gehört die Tasche? Dem kleinen Mädchen?

   Ja, das ist _____ Tasche.

9. Wer bekommt das letzte Stück Kuchen? Ich?

   Ja, das ist _____ Stück Kuchen.

10. Wem gehört das Zimmer? Dir und deiner Schwester?

    Ja, das ist _____ Zimmer.

11. Wer räumt die Küche auf? Nicht du? Sollen wir das machen?

    Ja, das ist _____ Arbeit.

Grammatik-Tipp

Bei **euer** kann man das **-e-** in der Mitte weglassen: eure / euren / eurem / eurer

Beim Sprechen hört man das **e** *auch nicht!*

Ü13 So viel Familie!

Welcher Possessivartikel passt?

1. Ich habe eine Schwester. Das ist _meine_ Schwester.

2. Frank hat einen Bruder. Das ist _____ Bruder.

3. Ich lebe zusammen mit _____ Bruder in München. _____ Eltern wohnen leider sehr weit weg, in Köln.

4. Wie heißt ihr? Lotte und Felix? Und Marianne, ist das _____ Tante?

5. Und Mariannes Mann heißt Theodor. Das ist dann _____ Onkel, oder?

6. Hallo Isabel! Wie geht es _____ Großmutter, ist sie noch im Krankenhaus?

7. Katrin kann heute nicht kommen, denn _____ Großeltern besuchen sie.

8. Paul hat _____ Vater schon lange nicht mehr gesehen.

9. Christine und Sabine sind Schwestern, _____ Eltern wohnen in Freiburg.

10. Mein Bruder und ich besuchen am Wochenende _____ Großeltern.

Wortschatz-Tipp

Alle Brüder und Schwester zusammen sind meine **Geschwister**!
Das Wort ist immer im Plural – logisch!

Ü14 Die liebe Verwandtschaft ...

Hören Sie und antworten Sie mit verschiedenen Varianten wie im Beispiel.

1. Max hat eine Tante. _Das ist seine Tante. Er liebt seine Tante._
Er spricht oft mit seiner Tante.

Wortschatz-Tipp

Eine Frau möchte einen Mann vorstellen, oder ein Mann eine Frau.

Jetzt interessiert mich: Sind die beiden ein Paar? Oder sind sie nur Freunde? Das deutsche Wort **der Freund / die Freundin** macht keinen Unterschied.

Eine Frau stellt ihren Partner vor,
sie sagt: „Das ist Max, **mein** Freund."

Ein Mann stellt seine Partnerin vor,
er sagt: „Das ist Paula, **meine** Freundin."

Er ist nur ein normaler Freund:
„Das ist Max, **ein** Freund (von mir)."

Sie ist nur eine normale Freundin:
„Das ist Beate, **eine** Freundin (von mir)."

D.3. Pronomen

D.3.a Pronomen im Nominativ und Akkusativ

Das ist meine Katze. Er ist so süß!

Wo ist der Fehler?

Schreiben Sie den Satz richtig: _____

Ü15 *du* oder *ich*, *er* oder *sie*?

Markieren Sie die Personalpronomen wie im Beispiel.

1. Gestern war <u>ich</u> im Theater und habe meine Lehrerin gesehen,

   aber sie hat mich nicht gesehen!

2. Ich treffe dich morgen Abend am Kino, ja?

3. Wo ist der Kuchen? Oh, ich habe ihn gegessen ... Er war so lecker!

4. Wo habe ich nur mein Auto geparkt? Ich kann es nicht finden!

5. Meine Freundin heißt Anna. Ich liebe sie sehr.

6. Jugendliche denken oft: „Die Eltern verstehen uns nicht!"

7. Ihr kommt morgen mit dem Zug aus Paris? Ich hole euch

   vom Bahnhof ab!

8. Herr Blücher, darf ich Sie etwas fragen?

9. Ich habe viele Bücher, aber ich habe sie nicht alle gelesen.

Ergänzen Sie die Tabelle.

	Nominativ	Akkusativ	Nominativ	Akkusativ
	Singular		Plural	
1. Person	ich		wir	
2. Person				
3. Person	sie		sie/Sie	

Ü16 ## Ich verstehe dich nicht!
Ergänzen Sie die fehlenden Personalpronomen.

1. Meine Brille ist neu. *Sie* war sehr teuer.

2. Ich brauche einen neuen Laptop. Ich kaufe _____ im Internet.

3. Der Kugelschreiber schreibt gut. Wo hast du _____ gekauft?

4. Meine Tasche gefällt mir sehr. Ich habe _____von meiner Mutter bekommen.

5. Wo ist das Feuerzeug? Hast du ____?

6. Hallo, hallo! Ich kann _____ schlecht hören. Verstehst du _____?

7. Hier sind die Arbeitsblätter aus dem Deutschkurs. Möchtest du _____ kopieren?

8. Im Deutschkurs sind 16 Studenten. _____ kommen aus der ganzen Welt.

9. Habt _____ am Wochenende Zeit? Ich möchte _____ einladen.

10. Herr Billina, haben _____ am Wochenende Zeit? Ich möchte _____ einladen.

11. Ich liebe _____. Liebst du _____ auch?

Ü17 ## Hast du ihn gesehen?
Hören Sie und antworten Sie wie im Beispiel.

1. Ich suche meine Brille. *Hast du sie gesehen?*

D.3.b Pronomen im Dativ

Wo ist der Fehler?
Schreiben Sie den Satz richtig: _____

Ü18 Wie geht's?

Markieren Sie die Personalpronomen im Dativ wie im Beispiel.

1. Wie geht es <u>dir</u>? – Danke, es geht mir gut.

2. Wie geht es Ihnen, Frau Billina? Danke, mir geht es gut!

3. Kann ich Ihnen helfen? – Ja, können Sie mir den Weg zeigen?

4. Studiert dein Sohn noch in London? Wie geht es ihm?

5. Studiert deine Tochter noch in Rom? Wie geht es ihr?

6. Hatten deine Eltern einen schönen Urlaub? Wie geht es ihnen?

7. Wie geht es euch? Habt ihr eine schöne Zeit in Wien?

8. Danke, es geht uns sehr gut! Wir gehen jeden Tag in ein Konzert!

Ergänzen Sie die Tabelle.

	Nomi-nativ	Akku-sativ	Dativ	Nomi-nativ	Akku-sativ	Dativ
	Singular			Plural		
1. Person	ich		mir	wir		
2. Person						
3. Person	sie			sie/Sie		

Wortschatz-Tipp

Sie gehen am Freitagnachmittag aus dem Deutschkurs.

Ihre Lehrerin sagt: „Schönes Wochenende!"

Was antworten Sie?

~~„Und Sie!" / „Sie auch!" („Und du!" / „Du auch!")~~

 „Ihnen auch!""(„Dir auch!")

Das ist die kurze Version von:

„Ich wünsche **Ihnen / dir auch** ein schönes Wochenende!"

Oder sie antworten: „Danke, gleichfalls!"

Ü19 **Wie gefällt es dir?**

Hören Sie und antworten Sie wie im Beispiel.

1. Ich mache Urlaub in München.   *Wie gefällt es dir?*

D.3.c Fragepronomen

Wo ist der Fehler?

Schreiben Sie den Satz richtig: _____

Regeln

Was für (ein/e) ... fragt nach dem Typ oder der Klassifikation:

Was für ein Auto hast du?

Ich habe einen Mercedes.

Welche/r/s ... fragt nach einem bestimmten Ding oder einer bestimmten Person:

Welches Auto möchtest du kaufen? Das grüne oder das rote? – Das rote.

Vorsicht!

Welcher **Mann (m)** gefällt dir besser? George Clooney oder Johnny Depp?

Welche **Frau (f)** gefällt dir besser? Penélope Cruz oder Scarlett Johansson?

Welches **Schloss (n)** gefällt dir besser? Neuschwanstein oder Linderhof?

Ü20 **Du willst so viel wissen!**

Ergänzen Sie *Was für (ein-) ...* **oder** *Welche/Welcher/Welches ...*

1. *Was für ein* Hotelzimmer hast du? Ein Doppel- oder ein Einzelzimmer?

2. _____ Restaurant sollen wir besuchen? Ein italienisches oder

   ein asiatisches?

3. _____ Wein schmeckt dir besser? Der Merlot oder der Chardonnay?

4. _____ Freundin besuchst du morgen? Anna oder Christina?

5. _____ Buch liest du gerade? Das von García Márquez oder den

   historischen Roman?

6. _____ Bier schmeckt dir am besten? Weißbier, Helles

   oder Dunkles?

7. _____ Lehrer ist netter? Dein Mathematik-Lehrer oder dein

   Deutsch-Lehrer?

8. _____ Stadt gefällt dir besser? Paris, London oder Rom?

9. _____ Musik gefällt dir? Klassik, oder mehr Rock oder

   Popmusik?

10. _____ Filme gefallen dir? Actionfilme, Liebesfilme oder Komödien?

11. _____ Haus hast du? Ein großes oder ein kleines?

12. _____ Sprache gefällt dir besser? Deutsch oder Englisch?

E. Adjektive

E.1. Adjektiv-Endungen

Oh, das ist ein schön Kleid!

Wo ist der Fehler?

Schreiben Sie den Satz richtig: _____

Ü21 Wie ist das?

Ergänzen Sie die Adjektive aus dem Schüttelkasten. Was passt?

dark large orderly fantastic hard bright cozy clean old small tight

/dunkel • groß, • ordentlich • fantastisch • hart • hell • gemütlich •sauber • ~~alt~~ • klein • eng

1. Unser Haus ist sehr _alt_, es ist von 1820.

2. Meine Wohnung ist _klein_, sie hat nur ein Zimmer.

3. Ich sitze nicht gern auf diesem Stuhl. Er ist zu _hart_.

4. Der Tisch ist sehr _groß_. Zehn Personen können an dem Tisch sitzen.

5. Ich liebe deinen Garten. Er ist wirklich _fantastisch_.

6. Dein Wohnzimmer ist so _gemütlich_. Es gefällt mir sehr.

7. Hier ist es zu _dunkel_, ich kann so nicht lesen.

8. Die Wohnung ist sehr _hell_, denn sie hat große Fenster.

9. Die Treppe ist zu _eng_. Wir können das Sofa nicht in die Wohnung tragen.

10. Die Wohnung ist jetzt _ordentlich_ und _sauber_. Ich habe den
ganzen Tag aufgeräumt und geputzt.

Regel

Das Adjektiv steht **am Ende vom Satz**. → Es hat **keine** Endung.

Das Haus ist **alt(-)**.

Das Adjektiv steht **vor einem Nomen**. → Es hat **eine Endung**.

Das ist ein **altes** Haus.

Die Adjektiv-Endung nach dem **definiten** Artikel:

der **alte** Tisch (m)

die **alte** Lampe (f)

das **alte** Haus (n)

die **alten** Bilder (Pl)

Die Adjektiv-Endung nach dem **indefiniten** Artikel:

ein **alter** Tisch (m)

eine **alte** Lampe (f)

ein **altes** Haus (n)

alte Bilder (Pl)

de(r) Tisch: ein alte**r** Tisch

da(s) Haus: ein alte**s** Haus

Ü22 Mein altes Haus

Ergänzen Sie die Endungen der Adjektive.
Vorsicht: Nicht alle Adjektive haben eine Endung!

Das alt*e* (1) Haus hier auf dem Foto ist mein Haus. Es ist sehr schön____ (2).

Der groß__ (3) Garten gefällt mir besonders gut.

Das Haus hat auch viel__ (4) Zimmer, ein groß____ (5) Wohnzimmer,

ein klein____ (6) Schlafzimmer, eine praktisch__ (7) Küche und ein modern____ (8) Bad.

Im Wohnzimmer steht ein Sofa, es ist breit____ (9) und rot____ (10).

Das sieht lustig____ (11) aus. Im Schlafzimmer gibt es ein gemütlich____ (12) Bett.

Es ist weich____ (13) und warm____ (14).

Ich liebe es – und meine alt__ (15) Katze liebt es auch!

Ü23 **Ja, das ist ein schönes Haus!**

Hören Sie und antworten Sie wie im Beispiel.

🎧 34

1. Das Haus ist schön.   *Ja, das ist ein schönes Haus!*

Wortschatz-Tipp

Sie möchten einen Brief oder eine Postkarte schreiben.

Sie schreiben einem Freund / einer Freundin:

Lieb**er** Martin, / Lieb**e** Birgit, ...

Sie schreiben einen formalen Brief:

Sehr geehrt**er** Herr Wengert, ... / Sehr geehrt**e** Frau Wengert, ...

Sie wissen nicht, wer den Brief liest:

Sehr geehrt**e** Damen und Herren, ...

E.2. Ordinalzahlen

Meine Wohnung ist dort, im drei Stock!

Wo ist der Fehler?

Schreiben Sie den Satz richtig: _____

Regel

Kardinalzahlen		Ordinalzahlen	
1	eins	1.	der **erste**
2	zwei	2.	der zwei**te**
3	drei	3.	der **dritte**
4	vier	4.	der vier**te**
5	fünf	5.	der fünf**te**
6	sechs	6.	der sechs**te**
7	sieben	7.	der **sieb**te
↓		↓	
19	neunzehn	19.	der neunzehn**te**
20	zwanzig	20.	der zwanzig**ste**

Bei den Zahlen von eins bis neunzehn (1–19):   **Endung –te**

Vorsicht: der erste (~~einste~~) / dritte (~~dreite~~) / sieb~~en~~te)

Bei den Zahlen ab zwanzig (20):   **Endung –ste**

Vorsicht!

Ich wohne **im** zwei**ten** (2.) Stock.

Ich habe **am** sechs**ten** (6.) Februar Geburtstag.

im / am → -ten / -sten

Ü24 **Der erste Januar**

Ergänzen Sie die Ordinalzahlen mit den richtigen Endungen.

1. Heute ist der _fünfzehnte_ (15.) September.

2. Nein, hier ist nicht der _____ (4.) Stock, hier ist der _____ (5.) Stock.

3. Mein Geburtstag ist am _____ (23.) Dezember.

4. Ich wohne im _____ (1.) Stock.

5. Wann bist du geboren? Am _____ (21.) Juli.

6. Das Buch hat sieben Bände, und das hier ist der _____ (7.) Band.

7. Kommst du am _____ (19.) oder am _____ (20.)
   August aus dem Urlaub zurück?

8. Am Sonntag ist der _____ (80.) Geburtstag von meiner Oma.

9. Heute ist Jubiläum im Möbelhaus. Der _____ (500.) Kunde
   bekommt einen Preis.

10. Der _____ (3.) Oktober ist der Tag der deutschen Einheit, der Nationalfeiertag.

11. Am _____ (31.) Dezember feiern wir Silvester.

12. Der _____ (1.) Januar heißt Neujahrstag.

Landeskunde-Tipp

Das Datum sieht im Deutschen so aus: **Tag . Monat . Jahr**

Heute ist der 12.04.2014 (zwölfte vierte / zwölfte April zweitausendvierzehn).

Bis zum Jahr 2000 spricht man die Jahreszahl so: **(neunzehn)hundert...**

1987   neunzehn**hundert**siebenundachtzig

Ab dem Jahr 2000 dann so: **zweitausend...**

2001   **zweitausend**eins ...

Ü25   ... und noch ein bisschen üben!

Hören Sie die Zahl und bilden Sie die Ordinalzahl, wie im Beispiel.

1. drei   *der Dritte*

Hören Sie die Zahl und bilden Sie das Datum, wie im Beispiel.

1. eins   *am Ersten*

E.3. Komparation von *gut*, *viel* und *mehr*

Wo ist der Fehler?

Schreiben Sie den Satz richtig: *Dein Eis schmeckt besser als mein Eis.*

ein fauler Student   eine faule Studentin
ein faulerer Student   ein faulere Studentin

Ü26 **Das kannst du besser!**

Markieren Sie in den Sätzen Komparativ und Superlativ.

fauler
1. Du bist faul! Ich arbeite <u>mehr</u> als du! Aber Irmi arbeitet <u>am meisten</u>.
lazy

2. Klassische Musik ist immer schön. Am <u>besten</u> gefällt mir aber die Musik von Johann

    Sebastian Bach – sie ist einfach fantastisch!

3. Backst du bitte den Geburtstagskuchen für Maria? Du kannst das <u>besser</u>

    als ich!

4. Ich trinke <u>lieber</u> Wasser als Cola oder Saft.

5. Der Unterricht ist so langweilig! Am <u>liebsten</u> möchte ich jetzt nach Hause gehen

    und schlafen.

6. Ich lese immer <u>viel</u>, aber <u>am meisten</u> lese ich im Urlaub.

Ergänzen Sie die richtigen Formen der Komparation.

Regel		
Positiv	**Komparativ**	**Superlativ**
gut	*besser*	*am besten*
viel	*mehr*	*am meisten*
gern	*lieber*	*am liebsten*

Ü27 **Am besten schmeckt heiße Schokolade!**
Vergleichen Sie wie im Beispiel.

1. gut schmecken • Kaffee (+) • Tee (++) • heiße Schokolade (+++)

   Tee schmeckt besser als Kaffee, aber am besten schmeckt heiße Schokolade.

2. viel lernen • Pablo (+) • Marina (++) • Georgios (+++)

   Marina lernt mehr als Pablo, aber am meisten lernt Georgios

3. gern kochen • Eva (+) • Peter (++) • Michael (+++)

   Eva kocht lieber als Peter, aber Michael kocht am liebstens.

4. viel schlafen • Lennard (+) • Egon (++) • Fedor (+++)

   Lennard schlaft mehr als Egon, aber Fedor schlaft am meisten.

5. gern fernsehen • Ella (+) • Franz (++) • Chris (+++)

   Ella sicht fern lieber als Franz, aber Chris sicht fern am liebstens

6. gut Klavier spielen • Anna (+) • Fernando (++) • Mario (+++)

   Anna klavier spielt besser als Fernando, aber Mario klavier spielt am besten.

Ü28 **Das kann ich besser als du!**
Hören Sie und antworten Sie wie im Beispiel.

36

1. Ich spiele gut Tennis.   *Aber ich spiele besser Tennis als du!*

Grammatik-Tipp

Wenn etwas **gleich ist**, sagt man **so ... wie**:

Mein Bruder ist **so** groß **wie** ich.

Wenn etwas **nicht gleich ist**, benutzt man **den Komparativ + als**

Mein Bruder ist größer **als** ich.

Vorsicht!

Mein Bruder ist **größer als** ~~wie~~ ich.

F. Zeit und Ort

F.1. Temporale Angaben

F.1.a Temporale Präpositionen

Ich komme im Abend am sieben Uhr! Bis dann!

Wo ist der Fehler?

Schreiben Sie den Satz richtig: _____

Ü29 **Wann ist das?**

Markieren Sie alle temporalen Präpositionen.

Nächste Woche fahre ich von Freitag bis Sonntag in die Berge (1).

Ich nehme am Freitagabend um 18 Uhr den Zug (2). Die Zugfahrt dauert von 18 Uhr

bis 20.30 Uhr (3). Dann fahre ich mit dem Taxi ins Hotel.

Das ist nicht so weit, ich bin sicher noch vor 21 Uhr im Hotel (4).

Dann gehe ich gleich schlafen, denn am Morgen möchte ich ungefähr

ab 6 Uhr wandern gehen (5). Im Juli wird es am Vormittag sehr heiß (6).

Dann mache ich eine lange Pause. Am Abend nach dem Abendessen

gehe ich noch tanzen, dann bin ich sicher sehr müde (7)!

Am Sonntag um 17 Uhr fahre ich wieder nach Hause (8).

Ich freue mich schon sehr!

Welche Präposition passt? Ergänzen Sie die Regel.

Regel

Uhrzeit	_____
Tag, Tageszeit	_____
Monat	_____
Uhrzeit, Tag, Tageszeit, Monat	_____ / _____
Aktivität, Uhrzeit	_vor_ / _nach_
Uhrzeit, Tag, Monat	_____

Lern-Tipp

um 13 Uhr

am Freitag

Vorsicht!

am Morgen, **am** Vormittag, **am** Mittag, **am** Nachmittag, **am** Abend, **in der** Nacht

Keine Präposition bei einer Jahreszahl!   ~~in~~ 1975   aber: **im Jahr 1975**

Ü30   **Termine, Termine, Termine!**
Markieren Sie die richtige Präposition.

Nächste Woche habe ich viele Termine.

Von/Ab Montag (1) nach/bis Mittwoch (2) fahre ich zu einem Meeting

nach Köln. Um/Am Donnerstag (3) muss ich schon ab/nach sieben Uhr (4)

im Büro sein, denn um/bis zehn Uhr (5) beginnt ein wichtiges Seminar.

Nach/Vor dem Seminar (6) muss ich noch viel vorbereiten.

Das Seminar dauert von/um zehn Uhr (7) bis/von 17 Uhr (8).

Am/Im Abend (9) ist ein Geschäftsessen im Hotel Savoy.

Und im/am Freitag (10) kommen unsere Geschäftspartner aus Paris.

Wir sprechen am/von morgens (11) am/bis abends (12) über die Pläne

für das nächste Jahr. In/– 2015 (13) wollen wir viele Projekte realisieren.

Im/Nach dieser Woche (14) habe ich ein ruhiges Wochenende verdient!

Ich werde am/im Wochenende (15) nur schlafen und nichts tun ...

Ü31 Wann kommst du?
Hören Sie und antworten Sie wie im Beispiel.

1.   Freitag

     Wann kommst du?   *Ich komme am Freitag.*

2.   Juli

3.   1992 bis 1994

4.   (nach) Abendessen

5.   20.30 Uhr

6.   (nach) Sport

7.   halb fünf

8.   Wochenende

9.   Montag bis Samstag

10. 2003

Wortschatz-Tipp

ein Jahr	hat	12 Monate	**r Monat, -e**
ein Monat	hat	vier Wochen	**e Woche, -n**
eine Woche	hat	sieben Tage	**r Tag, -e**

F.1.b Uhrzeit

Wo ist der Fehler?

Schreiben Sie den Satz richtig: _____

Regel

Es gibt zwei Methoden, die Uhrzeit zu sagen.

digital:	13.20 Uhr	Es ist **dreizehn Uhr zwanzig**.
Umgangssprache:	13.20 Uhr	Es ist **zwanzig nach eins**. /
		Es ist **zehn vor halb zwei**.

Vorsicht!

In der Umgangssprache beginne ich bei **13 Uhr** wieder mit: **Es ist ein Uhr**.

(14 Uhr = zwei Uhr, 15 Uhr = drei Uhr, ...)

Es ist **ein** Uhr.   Es ist Viertel nach **eins**.

Ü32 Wie spät ist es?
Was passt zusammen?

1.	14.15 Uhr	a)	Halb sieben
2.	18.30 Uhr	b)	Halb zwölf
3.	23.45 Uhr	c)	Fünf vor halb vier
4.	0.10 Uhr	d)	Fünf nach halb acht
5.	21.55 Uhr	e)	Halb sechs
6.	11.30 Uhr	f)	Viertel nach zwei
7.	15.25 Uhr	g)	Viertel vor zwölf
8.	19.35 Uhr	h)	Zehn nach halb sieben
9.	2.40 Uhr	i)	Zehn vor elf
10.	17.30 Uhr	j)	Fünf vor zehn
11.	10.50 Uhr	k)	Zwanzig vor drei
12.	6.40 Uhr	l)	Zehn nach zwölf

1.	2.	3.	4.	5.	6.	7.	8.	9.	10.	11.	12.
f											

Wortschatz-Tipp

Es ist 14 **Uhr**.   **aber:** Die Reise dauert drei **Stunden**.

ein Tag	hat	24 Stunden	**e Stunde, -n**
eine Stunde	hat	60 Minuten	**e Minute, -n**
eine Minute	hat	60 Sekunden	**e Sekunde, -n**

Ü33 Bitte nicht digital!

Hören Sie und antworten Sie wie im Beispiel.

1.   Es ist 23.10 Uhr.   Wie bitte?   *Es ist zehn nach elf!*

Landeskunde-Tipp

Bei Einladungen oder Terminen sind die Deutschen sehr pünktlich.

Sie kommen genau zu dem Zeitpunkt einer Einladung oder maximal
15 Minuten später.

Wer 20 Minuten später kommt, entschuldigt sich und sagt, warum er
zu spät kommt. („Tut mir leid, aber die S-Bahn hatte Verspätung!")

Zu einem offiziellen Termin kommen die Deutschen meistens ein paar
Minuten früher.

F.2.   Lokale Angaben

F.2.a   Lokale Präpositionen auf die Frage *wo?*

Wo ist der Fehler?

Schreiben Sie den Satz richtig: _____

Ü34 Wo ist Benni?

Markieren Sie die lokalen Präpositionen.

1. Benni ist mit Freunden <u>im</u> Restaurant.

2. Am Abend sitzt Benni im Kino und sieht einen Film.

3. Morgen ist Benni den ganzen Tag bei seinen Eltern.

4. Jeden Morgen läuft Benni eine halbe Stunde im Park.

5. Benni ist heute beim Schwimmen und morgen beim Tanzen.

6. Er wohnt schon zwei Jahre in München.

7. Am Wochenende wandert Benni in den Bergen in der Schweiz.

8. Benni macht sehr gern Urlaub am Meer.

9. Benni ist gerade beim Einkaufen auf dem Markt und im Supermarkt.

10. Im Sommer ist Benni bei seinem Freund Niko auf einer griechischen Insel.

11. In den Ferien ist Benni gerne am See und liest, aber er schwimmt nicht gern

    im See, denn das Wasser ist ihm zu kalt!

Kreuzen Sie an: Was ist richtig? Sehen Sie die Sätze oben!

☐ Präpositionen auf die Frage *wo?* brauchen den Akkusativ.
☐ Präpositionen auf die Frage *wo?* brauchen den Dativ.

Vorsicht!	
in dem = im bei dem = beim an dem = am	

Ergänzen Sie die Präpositionen. Was passt? Sehen Sie die Sätze oben!

wo?	Personen und Aktivitäten	*bei*
wo?	Städte, Länder, Häuser und Natur-Regionen	____
wo?	Wasser	____
	(aber wenn ich schwimme)	____
wo?	Plätze und Inseln	____

Ü35 Hilfe, wo ist mein Geldbeutel!

Ergänzen Sie die richtige Präposition und den Artikel.

Nun suche ich schon seit gestern meinen Geldbeutel.

Ich war _beim_ (1) Bäcker und habe gefragt, aber da war er nicht.

Dann habe ich _____ (2) Markt gesucht und

_____ (3) Buchhandlung. ____ (4) Hause habe ich ____ (5) allen

Zimmern nachgeschaut. Dann war ich _____ (6) Eltern und

wir haben ____ (7) Haus und ____ (8) Garten gesucht. Am Nachmittag

war ich _____ (9) Tennisspielen, aber auch _____ (10) Tennisplatz

war er nicht. Sogar ____ (11) Park habe ich gesucht.

Ich gehe oft ____ (12) Fluss schwimmen, aber auch ____ (13) Fluss war er nicht.

Aber was habe ich denn da _____ (14) Jackentasche?

Ach, da ist er ja ...

Ü36 Sag mal, wo warst du eigentlich?

Hören Sie und antworten Sie wie im Beispiel.

1. Hamburg

    Warum warst du nicht auf meiner Party? _Ich war in Hamburg._

2. Schweiz   8. Korsika

3. Arzt   9. (mein) Haus

4. See   10. Maria

5. Markt   11. Berge

6. Sportstudio   12. Meer

7. Theater

Regel

Wo ist Benni?

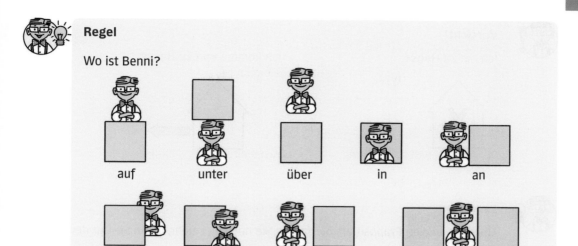

auf unter über in an

hinter vor neben zwischen

Lern-Tipp

auf und **an** haben immer „Kontakt"!

Ü37 Positionen

Markieren Sie die richtige Präposition.

1. Ich habe mein Auto über/<u>vor</u> dem Supermarkt geparkt.

2. Wo ist mein Deutschbuch? – Da liegt es doch, auf/über dem Tisch!

3. Du musst dein Zimmer putzen! Unter/An deinem Bett ist es so schmutzig!

4. Da ist ja dein Reisepass! Wo war er? – Über/Zwischen den Büchern

  im Bücherregal ...

5. In/Auf meiner Wohnung ist die Küche neben/unter dem Esszimmer.

6. Hinter/An der Wand über/auf meinem Bett hängt ein Foto von allen meinen Freunden.

7. Vorsicht! Über/Hinter dir kommt ein Auto!

Vorsicht!

Hier gibt es **keinen „Kontakt"**, aber:

am Bahnhof/Flughafen, **an** der Bushaltestelle/Ampel, **auf** der Post/Bank

Vorsicht!

Ich bin **zu** Hause.

Ich komme **von zu** Hause.

Lern-Tipp

Über die lokalen Präpositionen erfahren Sie noch viel mehr, wenn Sie auf dem Niveau A2 lernen!

Auf Niveau A1 sollen Sie nur eine Idee von den Präpositionen bekommen ...

Also: Keine Panik, wenn Sie noch nicht alles richtig machen!

F.2.b Lokale Präpositionen auf die Frage *wohin?*

Wo ist der Fehler?

Schreiben Sie den Satz richtig: _____

Ü38 Wohin geht Benni?

Markieren Sie die lokalen Präpositionen.

1. Benni geht heute Abend zuerst <u>zum</u> Schwimmen und dann ins Kino.

2. Um 23 Uhr fährt er nach Hause und ist sehr müde.

3. Morgen fährt Benni nach Köln.

4. In den Ferien fliegt er nach Griechenland auf eine Insel.

5. Am Wochenende fährt er zu seinen Freunden und geht mit ihnen am Abend

    auf eine Party.

6. Am 20. September fährt er nach München und geht dort aufs Oktoberfest.

7. Benni geht jeden Mittag ins Café Jasmin zum Essen.

8. Dann geht er eine halbe Stunde zum Joggen in den Park.

9. Im Winter möchte er mit Freunden zum Skifahren in die Berge fahren.

10. Am liebsten fährt er in die Schweiz.

11. Im Sommer fährt Benni am liebsten ans Meer oder an einen See.

12. Benni geht heute zum Friseur, denn seine Haare sind zu lang.

13. Jeden Morgen geht Benni um halb acht in die Schule.

Vorsicht!

zu d**em** = **zum**   **in** d**as** = **ins**   **an** d**as** = **ans**   **auf** d**as** = **aufs**

Ergänzen Sie die Regeln mit den Wörtern aus dem Schüttelkasten.

Akkusativ • Akkusativ • ~~Dativ~~ • Akkusativ

Regel

Die Präposition **zu** braucht **immer** den _____.

Die Präposition **in** braucht auf die Frage **wohin?** den *Akkusativ*_____.

Die Präposition **an** braucht auf die Frage **wohin?** den _____.

Die Präposition **auf** braucht auf die Frage **wohin?** den _____.

F

Ergänzen Sie die Präpositionen. Was passt? Sehen Sie die Sätze oben.

zu • nach • an • in • auf • in

wohin?	Personen und Aktivitäten	_zu_
wohin?	Städte und Länder ohne Artikel	_____
wohin?	Wasser	_____
	(aber wenn ich schwimme)	_____
wohin?	Inseln, Plätze, aber auch Feste und Partys	_____
wohin?	Häuser, Institutionen, Länder mit Artikel, Naturregionen	_____

Vorsicht!

Ich gehe **nach** Hause.

Ü39 Reisen ist mein Hobby

Ergänzen Sie die richtige Präposition und den Artikel.

Ich habe schon viele Reisen gemacht. Als Kind bin ich in den Ferien _in die_ Berge (1)

gefahren, _____ Österreich (2) oder _____ Schweiz (3). Später bin ich

gern _____ Süden (4) gefahren, _____ Italien (5) oder _____

Griechenland (6). Dann habe ich mehr Geld verdient und konnte auch weite Reisen

machen. Ich bin _____ Malediven (7) geflogen, habe eine Reise

_____ Wüste (8) gemacht und _____ New York (9). Heute fahre ich im

Urlaub am liebsten _____ Meer (10) oder ____ Freunden (11). Aber auch Städtereisen

_____ Paris (12), _____ London (13) oder _____ Rom (14) gefallen mir gut.

Ich gehe dort dann _____ Museen (15) und ____ gute Restaurants (16).

Im Winter fahre ich meistens _____ Skifahren (17), gerne _____ Italien (18)

_____ Dolomiten (19). Aber dann bin ich auch glücklich, wenn ich wieder

_____ Hause (20) komme!

Ü40 Reiseziele

Hören Sie und antworten Sie wie im Beispiel.

1. Berlin

   Wohin fährst du? *Nach Berlin.*

2. Meer

3. Thailand

4. meine Eltern

5. Santiago de Compostela

6. Türkei

7. Berge

8. Insel im Pazifik

9. Freunde / Hamburg / Hochzeitsfest

10. Hause

11. Insel Korsika

Vorsicht!

gehen ist nur mit meinen Füßen!

fahren ist mit dem Auto, mit dem Zug, mit dem Bus, …

Ich ~~gehe~~ am Wochenende nach Rom.

Ich fahre am Wochenende nach Rom.

Wortschatz-Tipp

Für eine **Wegbeschreibung** brauche ich:

Gehen Sie   nach rechts/links

geradeaus

die erste/zweite Straße rechts/links

bis zum …platz

an der Ampel / Kreuzung nach rechts / links!

Siehe auch Kapitel B.1.c, Ü67!

G. Phonetik

G.1. *ich* und *ach*

Ü41 *ich* und *ach* I

Hören Sie die Wörter mit *ich* und *ach*. Hören Sie den Unterschied?

- Bitte, was möchten Sie?
- Ich möchte eine Tasse Kaffee, bitte!

Regel

ich-Laut: **nach i/e/ä/ü/ö** und **nach Konsonanten**

ich / Rechnung / lächeln / Bücher / möchte / Milch ...

ach-Laut: **nach i/o/u**

Nacht / noch / Buch ...

Aussprache-Tipp

Es gibt zwei Methoden, den **ich-Laut** zu üben:

Sprechen Sie ganz schnell: „jajajajajajajajajajaja"

Dann flüstern Sie: „jajajajajajajajajajaja"

Das **j** klingt dann wie der **korrekte ich-Laut**!

Sagen Sie langsam **ich**!

Lassen Sie den Mund und die Zunge beim **ch** in derselben Position wie beim **i** und atmen Sie stark dabei aus!

Das ist der **korrekte ich-Laut**!

So funktioniert das auch mit den anderen Vokalen **e**, **ä**, **ü** und **ö**.

Ausssprache-Tipp

So können Sie auch den **ach-Laut** sprechen.

Sagen Sie langsam **ach**.

Lassen Sie den Mund und die Zunge beim **ach** in derselben
Position wie beim **a** und atmen Sie stark dabei aus!

Das ist der **korrekte ach-Laut!**

So funktioniert das auch mit den anderen Vokalen **o** und **u**.

Ü42 *ich* und *ach* II

Hören und wiederholen Sie die Wörter mit dem *ich*-Laut.

1. ich / nicht / Licht / richtig / wichtig / sprichst
2. Küche / Bücher / schüchtern / tüchtig
3. Rechnung / Becher / Technik / sprechen / lächeln / Nächte
4. möchte / Köche / höchste / Löcher
5. feucht / leuchten / Bäuche
6. Milch / München / Hündchen / Schätzchen

Bitte hören und wiederholen Sie die Wörter mit dem *ach*-Laut.

7. Nacht / lachen / machen / Krach
8. kochen / noch / Loch
9. Buch / Kuchen / suchen / Geruch

Ü43 *ich* und *ach* III

Hören und wiederholen Sie die Sätze.

1. Ach, warum kommt er noch nicht?
2. Ich möchte viele Bücher lesen.
3. Das Nachtlicht leuchtet schwach.
4. Die Münchner Köche suchen ihre Becher.
5. Das Kätzchen riecht die Milch.
6. Mach in der Nacht nicht so viel Krach!
7. Bitte mach Licht, ich suche mein Taschentuch!
8. Das Technikbuch ist für mich, nicht für dich!
9. Welche Sprachen sprichst du?

Landeskunde-Tipp

-ig spricht man am Wortende so:

in Süddeutschland: [ik]   wicht**ig** [wicht**ik**], Ludw**ig** [Ludw**ik**]

und in Norddeutschland: [ich]   wicht**ig** [wicht**ich**], Ludw**ig** [Ludw**ich**]

Vorsicht!

Ein Koch in der Küche ist wichtig,
Krach in der Nacht ist nicht richtig!
Ich spreche die Sprache jetzt richtig,
denn das ist sicherlich wichtig!

G.2. Das *h*

Ü44 **Das *h* I**

**Hören Sie die Sätze. Das *h* wird nicht immer gleich ausgesprochen.
Hören Sie den Unterschied?**

Hast du heute schon die Hausaufgaben gemacht? – Ja?
Ist das wirklich wahr?

Regel

Man spricht das **h am Wortanfang** und **nach einem Präfix**: Haus, verheiratet.

Das **h** macht einen **Vokal lang**, wenn es **nach einem Vokal** steht: nah, wahr, gehen

Aussprache-Tipp

Nehmen Sie einen Spiegel in die Hand und atmen Sie stark aus.

Wenn Sie es richtig machen, ist der Spiegel nicht mehr klar.

Das ist der **korrekte h-Laut**!

Ü45 Das *h* II

Bitte hören und wiederholen Sie die Wörter und Sätze mit *h*.

1. Haus / hören / Hose / Haltestelle / Hut / herrlich / heißen / Hochzeit / Himmel / hell
2. aufhören / verheiratet / Erholung / Geheimnis / unheimlich
3. Herr Huber hört heute herrliche Harfenmusik.
4. Herbert hat heimlich Heidi geheiratet.
5. Hans hustet heute heftig.
6. Im Herbst ist der Himmel nicht lange hell.
7. Hast du die Hose an den Haken gehängt?

G.3. *sp* und *st*

Ü46 *sp* und *st* I

Hören Sie die Wörter mit *sp* und *st*. Hören Sie den Unterschied?

Bitte, steigen Sie in die Straßenbahn ein!
Ich gehe gern spazieren und mache gerne Sport.

> **Regel**
>
> **st** und **sp** werden am Wortanfang und am Silbenanfang wie [scht] und [schp] gesprochen: **St**raße [**scht**raße], **sp**rechen [**schp**rechen] ...

> **Aussprache-Tipp**
>
> Für das richtige **sch** machen Sie ein Geräusch wie ein Zug: **sch-sch-sch-sch** ...
>
> Oder Sie sagen jemandem, er soll leise sein: „Pscht!"

Ü47 *sp* und *st* II

Bitte hören und wiederholen Sie die Wörter und Sätze mit *sp* und *st*.

1. sprechen / Spanien / Spaß / spät / Vorspeise / zusperren / Spiegel / Sport / Kinderspiel / Hochsprung
2. Straße / stehen / Großstadt / Fußballstadion / stark / Stern / stimmt / Strand / Studentin / Stuhl
3. In Spanien spricht man auf allen Straßen Spanisch.
4. An der Haltestelle stehen starke Sportler und fahren mit der Straßenbahn ins Stadion.
5. Am Strand spielen Studenten zum Spaß Strandtennis.

Vorsicht!

Zwischen zwei spitzen Steinen sitzen zwei zischende Schlangen.

G.4. *ü* und *ö*

 Ü48 *ü* und *ö* I

Hören Sie die Wörter mit *ü* und *ö*. Hören Sie den Unterschied?

Heute Abend höre ich ein Konzert in München.
Ich wünsche dir viel Spaß!

Aussprache-Tipp

Können Sie pfeifen? Beim Pfeifen machen Sie die Lippen spitz und rund.

Sprechen Sie ein **i** und machen Sie dann die **Lippen spitz und rund**: **Das ist das ü!**

Sprechen Sie ein **e** und machen Sie die **Lippen spitz und rund**: **Das ist das ö!**

 Ü49 *ü* und *ö* II

Bitte hören und wiederholen Sie die Wörter und Sätze mit *ü*.

1. wünschen / Süden / Brücke / über / Gemüse / Gürtel / süß / grün / Tür / Müsli / glücklich
2. Die süße Lydia sitzt müde im hübschen Kostüm im Büro.
3. Die Spülmaschine spült und der Kühlschrank kühlt.
4. Günther kommt pünktlich zum Frühstück und isst glücklich sein Müsli.
5. Der dünne Rüdiger übt überall für seinen Führerschein.
6. Übung macht den Meister!

Bitte hören und wiederholen Sie die Wörter und Sätze mit *ö*.

1. mögen / möchte / können / Vögel / Öl / hören / Wörter / öffnen / Österreich / Söhne / böse / schön / König
2. Die schöne Königin von Österreich hört die Vögel flöten.
3. Der König möchte zwölf Söhne.
4. Böse Wörter können Vögel stören.
5. Möhren mit Öl schmecken Jörg köstlich.

Lösungen

Teil 1: Verben

A.1.a *Ich komme aus Frankreich.*

Ü1 (2) Ich heiße   (3) Kommst du
(4) Ich lebe   (5) besuche ich
(6) Sie wohnt   (7) Bleibst du
(8) wir reisen   (9) Meine Freundin studiert
(10) Fahrt ihr   (11) wir nehmen
(12) fahrt ihr   (13) Wir schlafen
(14) Sie haben   (15) kommst du
(16) Wir bleiben

Ü2 2. –st 3. –e 4. –t 5. –en 6. –st
7. –e 8. –t 9. –en 10. –en 11. –t
12. –en 13. –t 14. –t

Ü3 (2) –e (3) –e (4) –st (5) –st (6) –en
(7) –en (8) –t (9) –en (10) –en (11) –t
(12) –st (13) –st (14) –e (15) –t (16) –e
(17) –st (18) –t (19) –t (20) –en (21) –t
(22) –t (23) –e (24) –en (25) –en (26) –e
(27) –en

Ü4 2. Sie 3. Sie 4. du 5. du
6. du 7. Sie 8. du

Ü5 1. Wo wohnt dein Vater? – Er wohnt in
Paris.
2. Und deine Schwester? – Sie wohnt in
Lyon.
3. Welche Sprachen sprechen Sie, Frau
Maier? – Ich spreche Englisch und
Französisch.
4. Wo studierst du? – Ich studiere in den
USA.
5. Hallo, Milad und Tanja! Was macht
ihr? – Wir machen Hausaufgaben.
6. Wie lange bleibst du in Deutschland? –
Ich bleibe eine Woche.
7. Nehmt ihr die U-Bahn? – Nein, wir
nehmen das Auto.
8. Fahren Sie morgen nach Köln? – Nein, ich
fahre nach Hamburg.

9. Wohin reisen deine Freunde? – Sie reisen
nach Thailand.
10. Wann startet das Flugzeug? – Es startet
um acht Uhr.
11. Wann kommen deine Eltern? – Sie
kommen morgen.

1. Guten Tag, Frau Strobl. Ich heiße
Müller. – Entschuldigung, wie heißen Sie?
2. Wir bleiben eine Woche in
München. – Entschuldigung, wie lange
bleibt ihr in München?/Wie lange bleiben
Sie in München?
3. Fabian, ich mache jetzt Hausaufgaben.
Bis später! – Entschuldigung, was machst
du jetzt?
4. Wir fahren jetzt nach Hause. –
Entschuldigung, wohin fahrt ihr jetzt?/
wohin fahren Sie jetzt?
5. Anna, ich lerne jetzt Deutsch! –
Entschuldigung, was lernst du jetzt?
6. Herr Jahn, ich fliege morgen nach Paris. –
Entschuldigung, wohin fliegen Sie?

A.1.b *Hast du morgen Abend Zeit?*

Ü6 *sein*:   ich bin – du bist – er/sie/es ist –
wir sind – ihr seid – sie/Sie sind
haben: ich habe – du hast – er/sie/es hat –
ihr habt – sie/Sie haben

Ü7 2. ist, Bist 3. sind 4. ist, bin 5. ist, ist
6. Seid, bin 7. sind, ist 8. seid 9. sind

Ü8 2. habe 3. haben 4. habt, habt
5. haben, hat, hat 6. hat 7. hast
8. habe 9. hat, Hast

Ü9 2. bin 3. ist 4. habe 5. bin 6. ist
7. Habt 8. haben 9. Hast 10. hat
11. Bist 12. ist 13. sind 14. seid
15. sind

Ü10 2. er ist
3. meine Eltern sind
4. Frau Müller ist
5. ihr seid
6. du bist
7. ich bin
8. mein Freund ist
9. es ist
10. Hans und Inge sind
11. du bist
12. wir sind
13. meine Mutter und ich sind
14. ihr seid

1. ich habe
2. er hat
3. meine Eltern haben
4. Frau Müller hat
5. ihr habt
6. du hast
7. ich habe
8. mein Freund hat
9. es hat
10. Hans und Inge haben
11. du hast
12. wir haben
13. meine Mutter und ich haben
14. ihr habt

A.1.c *Pssst, sie schläft!*

Ü11 2. kenne, heißt, macht
3. liest, geht, spricht, macht
4. liebt, wäscht, nimmt, fährt
5. fragt, fährst, findet, ist
6. trifft, sieht ... fern, schläft
7. isst, findet, läuft   8. hilft, bekommt, geht

2. kennen   3. heißen   4. machen   5. lesen
6. gehen   7. sprechen   8. machen   9. lieben
10. waschen   11. nehmen   12. fahren
13. fragen   14. fahren   15. finden   16. sein
17. treffen   18. sehen   19. schlafen
20. essen   21. finden   22. laufen   23. helfen
24. bekommen   25. gehen

angekreuzt werden:
5, 7, 10, 11, 12, 14, 16, 17, 18, 19, 20, 22, 23
2. und 3. Person Singular

Ü12 2. liest   3. laufen   4. liest   5. wäscht, fährt
6. trifft   7. isst   8. läuft   9. Fährst
10. triffst, isst   11. Siehst
12. nimmst ... mit, seht

Ü13 2. Er macht oft Sport.
3. Er geht jeden Abend spazieren.
4. Er arbeitet den ganzen Tag im Büro.
5. Er sieht jeden Abend Nachrichten.
6. Er isst mittags in der Pizzeria.
7. Er spielt in der Pause Computerspiele.
8. Er wäscht am Wochenende seine Wäsche.
9. Er gibt Martha Klavierunterricht.
10. Er besucht oft seine Eltern.
11. Er kauft gerne Schuhe.
12. Er hilft am Wochenende seinem Vater im Garten.
13. Er spricht jeden Abend am Telefon mit seiner Tochter in Italien.

Ü14 2. Ich lese / Ach, du liest gern Bücher mit 1000 Seiten?
3. Ich schwimme / Ach, du schwimmst gern im Winter?
4. Ich nehme / Ach, du nimmst nachts immer ein Taxi nach Hause?
5. Ich esse / Ach, du isst gern Käsebrot mit Marmelade?
6. Ich helfe / Ach, du hilfst nicht gern deinen Kollegen?
7. Ich laufe / Ach, du läufst im September einen Marathon?
8. Ich wasche / Ach, du wäschst jetzt deinen Hund?
9. Ich treffe / Ach, du triffst am Sonntag Justin Bieber?
10. Ich fahre / Ach, du fährst von München nach Hamburg mit dem Rad?
11. Ich mache / Ach, du machst mit deiner Lehrerin ein Picknick?
12. Ich sehe / Ach, du siehst gern Horror-Filme?
13. Ich gehe / Ach, du gehst jetzt nach Hause?
14. Ich spreche / Ach, du sprichst acht Sprachen?
15. Ich schlafe / Ach, du schläfst immer nur drei Stunden?

Ü15 1. ich fahre – du fährst
2. ich laufe – du läufst
3. ich lese – du liest
4. ich spreche – du sprichst
5. ich wasche – du wäschst
6. ich esse – du isst
7. ich nehme – du nimmst
8. ich treffe – du triffst

9. ich schlafe – du schläfst
10. ich sehe – du siehst
11. ich helfe – du hilfst
12. ... und du sprichst – und du wäschst ...
– und jetzt ist Schluss!

A.1.d *Gute Nacht! Wann stehst du morgen auf?*

Ü16 2. dusche   3. frühstücke, trinke
4. räume ... auf, rufe ... an
5. kommt ... mit   6. kaufe ... ein
7. laufe   8. lade ... ein   9. backe
10. bringen ... mit   11. sehe ... fern
12. kommen   13. schlafe ... ein, schlafe

trennbar:
räume ... auf – aufräumen,
rufe ... an – anrufen,
kommt ... mit – mitkommen,
kaufe ... ein – einkaufen,
lade ... ein – einladen,
bringen ... mit – mitbringen,
sehe ... fern – fernsehen,
schlafe ... ein – einschlafen

nicht trennbar:
dusche – duschen,
frühstücke – frühstücken,
trinke – trinken,   laufe – laufen,
backe – backen, kommen – kommen,
schlafe – schlafen

Ü17 2. c/f   3. c/f   4. g   5. b/e
6. h/i   7. a   8. d   9. b/e

Ü18 2. bereitet ... vor   3. macht, duscht
4. frühstückt   5. fängt ... an   6. kauft ... ein
7. ist, ruft ... an   8. hört ... auf, geht, sind
9. geht ... zurück, nimmt ... mit
10. sieht ... fern   11. schläft ... ein

Ü19 abfahren, zumachen, anrufen, vorbereiten,
mitkommen, anfangen, fernsehen,
aufräumen, aufhören, ankommen, aufstehen,
einladen, aussteigen, aufmachen, einsteigen,
aussteigen

Ü20 Karin und Olivier haben Urlaub und fahren
nach Rom. Die Koffer sind schwer, denn sie
nehmen viel Kleidung mit.
Am Hauptbahnhof steigen sie in den Zug
nach Innsbruck ein. Sie finden die
reservierten Plätze und der Zug fährt ab.

Es ist noch sehr früh am Morgen.
Karin ist müde und schläft schnell ein.
In Österreich weckt Olivier sie auf.
Sie frühstücken und kommen bald in
Innsbruck an. Dort steigen sie in den Zug
nach Rom um. Die Fahrt dauert lange.
Am Abend kommen sie endlich in Rom an.
Ein Freund holt sie vom Bahnhof ab.
Zusammen fahren sie zum Hotel.
Dort rufen sie ihre Familien an und gehen
dann gleich ins Bett. Die nächsten Tage
sehen sie viele bekannte Plätze in Rom an.
Sie finden die Stadt fantastisch! Eine Woche
später fahren sie nach Hause zurück.

Ü21 2. Ich kann gerne zum Zahnarzt
mitkommen. – Wirklich? Du kommst zum
Zahnarzt mit?
3. Ich muss den Keller aufräumen. –
Wirklich? Du räumst den Keller auf?
4. Ich muss mit dem Rauchen aufhören. –
Wirklich? Du hörst mit dem Rauchen
auf?
5. Ich kann heute gerne einkaufen. –
Wirklich? Du kaufst heute ein?
6. Ich muss schon um sieben Uhr
abfahren. – Wirklich? Du fährst schon um
sieben Uhr ab?
7. Ich kann immer erst um ein Uhr
einschlafen. – Wirklich? Du schläfst
immer erst um ein Uhr ein?
8. Ich muss heute meinen Hund in die
Universität mitnehmen. – Wirklich? Du
nimmst heute deinen Hund in die
Universität mit?
9. Ich muss heute schon um sechs Uhr
im Büro anfangen. – Wirklich? Du fängst
heute schon um sechs Uhr im Büro an?
10. Ich möchte heute Abend meine alte
Lehrerin anrufen. – Wirklich? Du rufst
heute Abend deine alte Lehrerin an?
11. Ich möchte heute den ganzen Tag
fernsehen. – Wirklich? Du siehst heute
den ganzen Tag fern?

A.2.a *Ich lebe in Italien, aber ich habe in
London studiert.*

Ü22 2. gemacht   3. gekauft   4. telefoniert
5. gelebt   6. gelernt   7. fotografiert
8. gearbeitet   9. diskutiert   10. gekocht
11. reserviert   12. gefrühstückt

Seite 32

Heute bezahle ich! Du hast das letzte Mal bezahlt!

Ü23 bezahlt, entschuldigt, ergänzt, erlaubt, versucht, vorbereitet, aufgemacht, zugehört, eingekauft, abgeholt, aufgeräumt

Seite 33

Du hast aber lange geschlafen!

Ü24 1. c 2. g 3. l 4. m 5. h 6. q 7. d
8. s 9. p 10. i 12. t 13. b 14. k
15. e 16. j 17. n 18. f 19. o 20. r

Ü25 2. treffen – getroffen
3. helfen – geholfen
4. sprechen – gesprochen
5. nehmen – genommen
6. kommen – gekommen
7. treffen – getroffen
8. laufen – gelaufen
9. schlafen – geschlafen
10. sprechen – gesprochen
11. verstehen – verstanden
12. helfen – geholfen
13. nehmen – genommen
14. schlafen – geschlafen
15. fahren – gefahren
16. geben – gegeben
17. schreiben – geschrieben
18. bleiben – geblieben
19. essen – gegessen
20. trinken – getrunken
21. bleiben – geblieben
22. verstehen – verstanden
23. schreiben – geschrieben
24. trinken – getrunken
25. gehen – gegangen
26. fliegen – geflogen
27. laufen – gelaufen
28. fahren – gefahren
29. fliegen – geflogen
30. gehen – gegangen

Das haben Sie gut gemacht!

Ü26 2. verstanden 3. getroffen 4. telefoniert
5. gefrühstückt 6. geholfen 7. bezahlt
8. genommen 9. gelesen 10. geschrieben
11. geflogen 12. gegangen 13. studiert
14. eingekauft 15. gesehen 16. gehört

17. getrunken 18. gegessen
19. angekommen 20. gekocht
21. gelaufen 22. zugemacht
23. gespielt 24. geschwommen
25. aufgestanden 26. geschlafen

Ü27 2. weggefahren 3. gefahren
4. gestoppt, kontrolliert
5. gesagt, verstanden 6. bezahlt
7. gesprochen 8. eingeschlafen
9. geblieben 10. gegessen, getrunken
11. getroffen 12. geschrieben, gewusst
13. abgeholt 14. gegangen 15. gedacht

Seite 38

Ich bin heute so lange spazieren gegangen.

Ü28 2. haben … mitgenommen … gegessen … getrunken
3. haben … gespielt … sind … geschwommen
4. bin … eingeschlafen
5. bin … aufgewacht
6. bin … spazieren gegangen … habe … gesehen
7. ist … gekommen
8. hat … gearbeitet
9. hat … mitgebracht
10. ist … geworden … haben … gemacht … sind … geblieben

haben: mitnehmen, essen, trinken, spielen, sehen, arbeiten, mitbringen, machen

sein: fahren, schwimmen, einschlafen, aufwachen, spazieren gehen, kommen, werden, bleiben

fahren, schwimmen, spazieren gehen, kommen, …

einschlafen, aufwachen, werden, …

Ü29 2. sind, haben 3. hat, haben 4. haben
5. haben 6. haben, sind 7. hat, habe
8. sind, haben 9. hat

Ü30 2. Kochst du bitte die Spaghetti? –
Ich habe schon die Spaghetti gekocht.
3. Holst du bitte das Paket von der Post ab? – Ich habe das Paket schon von der Post abgeholt.
4. Fährst du noch in die Universität? –
Ich bin schon in die Universität gefahren.

5. Gehst du heute noch Joggen? –
Ich bin heute schon Joggen gegangen.
6. Isst du heute mit mir zu Mittag? –
Ich habe heute schon zu Mittag
gegessen.
7. Räumst du bitte dein Zimmer auf? –
Ich habe mein Zimmer schon aufgeräumt
8. Lernst du heute noch eine Stunde
Deutsch? – Ich habe heute schon eine
Stunde Deutsch gelernt.
9. Kommt heute dein Bruder und bringt
die Fotos? – Mein Bruder ist schon
gekommen und hat die Fotos gebracht.
10. Siehst du heute mit mir einen Film? –
Ich habe heute schon einen Film
gesehen.
11. Guten Morgen! Wachst du bitte auf? –
Ich bin schon aufgewacht.
12. Machst du bitte das Frühstück? –
Ich habe schon das Frühstück gemacht!

A.2.b *Tut mir leid, ich hatte keine Zeit.*

Ü31 2. war es auch sehr kalt.
3. war ich auch im Deutschkurs
4. hatte ich auch kein Geld.
5. war sie auch müde.
6. hatte sie auch Kopfschmerzen.
7. waren sie auch sehr verliebt.
8. hatte er auch keine Lust zu arbeiten.
9. Hattet ihr ... auch viel Zeit zum
Deutschlernen?
10. Hattest du ... auch Lust zu kochen?
11. waren sie auch zum Mittagessen im
italienischen Restaurant.
12. war ich auch glücklich, denn ich hatte
viel Zeit für mich.

Ü32 2. Jetzt sind meine Eltern alt. – Früher
🎧9 waren sie jung.
3. Jetzt ist mein Bruder dick. – Früher war
er schlank.
4. Jetzt bin ich reich. – Früher war ich arm.
5. Jetzt habt ihr ein Auto. – Früher hattet ihr
ein Fahrrad.
6. Jetzt hast du nie Zeit. – Früher hattest
du immer Zeit.
7. Jetzt bist du schön. – Früher warst du
auch schön.
8. Jetzt hat meine Schwester ein Haus. –
Früher hatte sie eine Wohnung.
9. Jetzt haben wir einen Laptop. – Früher
hatten wir eine Schreibmaschine.

10. Jetzt sind wir faul. – Früher waren wir
sportlich.
11. Jetzt haben meine Kinder Handys. –
Früher hatten sie nur das Familientelefon.
12. Jetzt seid ihr fit im Präteritum. – Früher
wart ihr unsicher im Präteritum.

Ü33 2. hatten   3. waren   4. hatten   5. war
6. hatte   7. war   8. hatte   9. war
10. hatten   11. waren   12. war   13. hatten
14. war   15. hatten

Ü34 2. haben ... gewohnt   3. hatte
4. haben ... gekocht   5. sind ... aufgestanden
6. waren, sind ... aufgewacht
7. sind ... gefahren
8. sind ... gekommen, haben ... getrunken
9. war   10. haben ... vorbereitet
11. hatten   12. haben ... gespielt
13. waren, sind ... gegangen
14. war, hat ... geschneit
15. war, sind ... geblieben   16. war

A.3.a *Ich möchte bitte ein Kilo Tomaten.*
Ich möchte das nicht essen.

Ü35 2. er will   3. wir wollen
🎧10 4. meine Eltern wollen   5. ihr wollt
6. du willst   7. ich will   8. ihr wollt
9. Frau Klein, Sie wollen   10. es will
11. wir wollen   12. ich will
13. ... und jetzt wollen wir nicht mehr üben!

Ü36 2. möchte   3. möchte   4. Möchtest
5. wollen   6. willst   7. wollt   8. möchte
9. will   10. wollen   11. möchte
12. möchten

Ü37 2. Möchten   3. Möchtest   4. Möchte
5. möchte

Ü38 2. Ich hätte gern ein Kilo Tomaten.
3. Ich brauche ein Brot. Vollkornbrot, bitte.
4. Ich möchte ein Baguette, bitte.
5. Haben Sie Bananen?
6. Ich möchte bitte einen Kaffee zum
Mitnehmen.

A.3.b *Er ist wirklich nett, ich mag ihn.*

Ü39 2. mag   3. Magst   4. mögen   5. mögen
6. mag   7. Mögt   8. magst, magst, magst
9. magst, mag

Ü40 2. Magst du Äpfel? –
Nein, ich mag keine Äpfel.
3. Mögen deine Eltern Reisen? –
Nein, sie mögen keine Reisen.
4. Mögt ihr Horrorfilme? –
Nein, wir mögen keine Horrorfilme.
5. Magst du Liebesromane? –
Nein, ich mag keine Liebesromane.
6. Mögen Sie Kinder? –
Nein, ich mag keine Kinder.
7. Mag dein Mann Shopping? –
Nein, er mag kein Shopping.
8. Magst du Schnee? –
Nein, ich mag keinen Schnee.
9. Mögen Sie Deutschlehrerinnen? –
Nein, ich mag keine Deutschlehrerinnen.
10. Mögt ihr Jazz? –
Nein, wir mögen keinen Jazz.

Ü41 2. Möchten, mag   3. möchte, mag
4. mag   5. möchte   6. möchte, mag
7. möchtest, mag   8. mag, möchte

Ü42 2. Ich habe einen Wunsch: Vier Wochen
Urlaub. – Was möchtest du? Vier Wochen
Urlaub?
3. Meine Eltern haben einen Wunsch:
Einen Garten. – Was möchten sie? Einen
Garten?
4. Max hat einen Wunsch: Ein Auto. –
Was möchte Max? Ein Auto?
5. Meine Kinder haben einen Wunsch:
Eine Katze. – Was möchten deine
Kinder? Eine Katze?
6. Ich habe einen Wunsch: Eine gute
Tasse Kaffee. – Was möchtest du? Eine
gute Tasse Kaffee?
7. Wir haben einen Wunsch: Ein gutes
Kursbuch. – Was möchtet ihr? Ein gutes
Kursbuch?

A.3.c *Hier darfst du nicht rauchen!*

Ü43 2. darf   3. müssen   4. Musst
5. darf, darfst, musst   6. dürfen   7. muss
8. müsst   9. dürfen   10. muss   11. müssen
12. dürft

Ü44 2. musst   3. darfst, musst   4. darfst, musst
5. darfst   6. musst   7. darfst   8. musst
9. musst   10. darfst   11. musst
12. dürft, müsst

Ü45 2. im Garten arbeiten / ins Kino gehen –
Du musst erst im Garten arbeiten, dann
darfst du ins Kino gehen.
3. einkaufen / lesen – Du musst erst
einkaufen, dann darfst du lesen.
4. die Teller abwaschen / fernsehen –
Du musst erst die Teller abwaschen, dann
darfst du fernsehen.
5. das Bad putzen / ein Eis essen –
Du musst erst das Bad putzen, dann
darfst du ein Eis essen.
6. Deutsch lernen / Fußball spielen –
Ihr müsst erst Deutsch lernen, dann dürft
ihr Fußball spielen.
7. die Zimmer aufräumen / in die Stadt
fahren – Ihr müsst erst die Zimmer
aufräumen, dann dürft ihr in die Stadt
fahren.
8. Oma helfen / ins Bett gehen. –
Ihr müsst erst Oma helfen, dann dürft ihr
ins Bett gehen.
9. ein Essen kochen / essen – Ihr müsst erst
ein Essen kochen, dann dürft ihr essen.

A.3.d *Ich muss jetzt nach Hause gehen.*

Ü46 2. soll   3. sollen   4. muss   5. müsst
6. sollst   7. muss   8. sollst   9. soll
10. Musst   11. sollen   12. muss

A.3.e *Ich kann Englisch, Französisch, Spanisch und
Chinesisch!*

Ü47 2. Können   3. kenne   4. können   5. kennen
6. Kennst   7. kann   8. kennt   9. Kannst
10. kennen   11. kann, kenne, kann

Ü48 2. c   3. b   4. g   5. d   6. a   7. i
8. k   9. h   10. j   11. e   12. f

Ü49 2. Latein: Kannst du das?
3. Klavier spielen: Kannst du das?
4. Elefanten werden sehr alt: Weißt du das?
5. Ich heiße Verena: Weißt du das?
6. Tennis spielen: Kannst du das?
7. Italien: Kennst du das?
8. das neue Fahrrad von Mama: Kennst
du das?
9. zwei und zwei ist vier: Weißt du das?
10. Mathematik: Kannst du das?
11. Ich bin verheiratet: Weißt du das?
12. das neue Buch von Ken Follett: Kennst
du das?

A.3.f Könnten Sie bitte das Fenster zumachen?

Ü50 2. Könnten / Würden Sie mir bitte helfen?
  3. Könntest / Würdest du mir bitte eine Zeitung geben?
  4. Könntest / Würdest du bitte die Tür schließen?
  5. Könnten / Würden Sie mir bitte eine Tasse Kaffee bringen?
  6. Könntest / Würdest du heute bitte einkaufen gehen?
  7. Könntest / Würdest du mir bitte das Buch leihen?
  8. Könntest / Würdest du bitte das Frühstück machen?
  9. Könnten / Würden Sie bitte die Rechnung bringen?
  10. Könntest / Würdest du bitte das Wohnzimmer aufräumen?

Ü51 2. Könntest du bitte mal schnell kommen?
  3. Würdest du mir bitte kurz helfen?
  4. Könnten Sie mir bitte kurz Ihr Handy leihen?
  5. Könnten Sie bitte das Fenster schließen?
  6. Könntest du mir bitte den Zucker geben?
  7. Würden Sie mir bitte die Speisekarte bringen?
  8. Könnten Sie mir bitte die Uhrzeit sagen?
  9. Würden Sie mir bitte den Weg zum Bahnhof zeigen?
  10. Könntest du bitte endlich dein Zimmer aufräumen?
  11. Würdest du bitte schnell Milch holen?
  12. Könnten Sie jetzt bitte mit der Übung aufhören?

B.1.a Heute Abend gehen wir tanzen, ja?

Ü52 Ich freue mich schon sehr. Sie kommt um neun Uhr mit dem Zug an. Dann fahren wir in meine Wohnung. Wir frühstücken zusammen und planen unseren Tag. Nach dem Frühstück fahren wir in die Stadt. Wir gehen ein bisschen bummeln und kaufen sicher ein bisschen ein.
Mittags könnten wir in mein Lieblingsrestaurant gehen. Das gefällt ihr bestimmt.
Danach treffen wir meinen Freund Jan. Er zeigt uns das neue Kunst-Museum, denn er kennt es sehr gut. So um fünf Uhr trinken wir im Café Jasmin Tee. Dann fahren wir nach Hause und kochen zusammen.

Und dann kommt das Abendprogramm! Zuerst in die Kneipe und danach noch in den Club – heute Nacht gibt es viel zu tun!

1. auf Position II
2. auf Position I / auf Position III
3. auf Position I / auf Position III

Ü53 2. Um drei Uhr er kommt aus der Universität.
  3. Dann er geht zum Einkaufen.
  4. Wir machen später noch ein bisschen Sport.
  5. Nächstes Jahr wir fahren im Sommer nach Kalifornien.
  6. Bald ist sie mit dem Medizinstudium fertig.
  7. Er besucht bald seine Eltern.
  8. Morgen Mittag die Kollegen gehen zusammen essen.
  9. Bald mein Urlaub fängt an.
  10. Das Wetter wird nächste Woche viel besser.
  11. Am Ende ist alles richtig.

Ü54 2. Meine Eltern besuchen mich am Dienstag.
  3. Am Mittwoch fahre ich an den See.
  4. Ich bleibe am Donnerstag zu Hause und sehe fern.
  5. Meine Freundin und ich treffen am Freitag unsere Kollegen.
  6. Am Wochenende mache ich einen Ausflug in die Berge.
  7. Am Samstag wandere ich lange.
  8. Am Sonntag gehe ich mit einem Freund zum Bergsteigen.

Ü55 2. Er fährt jeden Abend / Jeden Abend fährt er mit der U-Bahn nach Hause.
  3. Wir frühstücken jeden Morgen zusammen. / Jeden Morgen frühstücken wir zusammen.
  4. Sie isst jeden Mittag / Jeden Mittag isst sie im italienischen Restaurant.
  5. Meine Kinder möchten in den Ferien nach Spanien fahren. / In den Ferien möchten meine Kinder nach Spanien fahren.
  6. Sie arbeitet jeden Tag von acht Uhr bis siebzehn Uhr. / Jeden Tag arbeitet sie von acht Uhr bis siebzehn Uhr.
  7. Sie hat in der Nacht / In der Nacht hat sie nicht gut geschlafen.

8. Du kochst am Wochenende / Am Wochenende kochst du immer so gut.
9. Er möchte heute Abend / Heute Abend möchte er ins Kino gehen.
10. Ihr könnt morgen früh mit dem Lehrer sprechen. / Morgen früh könnt ihr mit dem Lehrer sprechen.
11. Ich schlafe am Morgen gerne lang. / Am Morgen schlafe ich gerne lang.
12. Es regnet in Deutschland sehr oft. / Sehr oft regnet es in Deutschland.

B.1.b *Was machst du hier?*

Ü56 wer, wann, wie, woher, wo, wohin, warum

Ü57 2. Wer arbeitet bei Siemens?
3. Wo wohnen deine Eltern?
4. Wie alt ist dein Sohn?
5. Was möchtest du essen?
6. Wie ist dein Name?
7. Wohin fährst du am Wochenende?
8. Wann kommst du nach Hause zurück?
9. Wer kann mir helfen?
10. Wo ist meine Brille?
11. Wohin gehst du heute Abend?
12. Wann beginnt der Deutschkurs?

Ü58 2. Wo 3. Woher 4. Wer 5. Was 6. Was
7. Wie 8. Wohin 9. Wann 10. Wie
11. Wie alt 12. Wie lange 13. Warum
14. Wie

Ü59 2. Entschuldigung, wo wohnt sie?
3. ... wie alt ist sie?
4. ... wohin fährst du / fahren Sie?
5. ... wie ist ihre Adresse / die Adresse von von deinen/Ihren Eltern?
6 ... wer ist das?
7. ... wie ist Ihre / deine Telefonnummer?
8. ... was spricht sie?
9. ... was ist das?
10. ... wann kommen sie?

Ü60 2. Sie wohnt in Berlin. – Wie bitte? Wo wohnt sie? – In Berlin.
3. Ich muss um 15 Uhr abfahren. – Wie bitte? Wann musst du abfahren? – Um 15 Uhr.
4. Er kommt aus den USA. – Wie bitte? Woher kommt er? – Aus den USA.
5. Mein Vater ist 83. – Wie bitte? Wie alt ist er? – 83.

6. Die Reise dauert zwei Stunden. – Wie bitte? Wie lange dauert die Reise? – Zwei Stunden.
7. Meine Adresse ist Grünweg 2, 33445 Holzhausen. – Wie bitte? Wie ist deine Adresse? – Grünweg 2, 33445 Holzhausen.
8. Ich spreche Portugiesisch. – Wie bitte? Was sprechen Sie? – Portugiesisch.
9. Sie gehen heute Abend in den Club Roter Mond. – Wie bitte? Wohin gehen sie heute Abend? – In den Club Roter Mond.
10. Das ist ein Koffer. – Wie bitte? Was ist das? – Ein Koffer.

Möchtest du ein Stück Kuchen?

Ü61 2. Kommen Sie aus Deutschland?
3. Wohnst du in Hamburg?
4. Hast du Geschwister?
5. Bist du müde?
6. Haben Sie heute viel Arbeit?
7. Sehen Sie jeden Abend fern?
8. Steht er jeden Morgen so früh auf?
9. Könnt ihr heute für mich einkaufen?
10. Musst du wirklich schon nach Hause gehen?

Ü62 2. Spielst du gerne Volleyball?
3. Wann kommst du nach München?
4. Wo arbeitest du?
5. Wie lange fährst du nach Wien?
6. Möchtest du einen Wein trinken?
7. Wer kommt am Wochenende zu Besuch?
8. Möchtest du kein neues Auto?
9. Hast du nicht gut geschlafen?
10. Hast du Lust auf Kino?
11. Wo möchtest du gerne leben?
12. Wohin fährst du im Urlaub?

Ü63 2. Fährst du im Urlaub nach Italien? – Ja.
3. Hast du kein Geld dabei? – Doch.
4. Sind Sie nicht müde? – Doch.
5. Arbeiten Sie an der Universität? – Ja.
6. Haben Sie keine Lust auf eine Tasse Kaffee? – Nein.
7. Möchten Sie eine Geschirrspülmaschine kaufen? – Ja.
8. Gehen Sie heute Nachmittag nicht zum Einkaufen? – Doch.
9. Haben Sie keinen Brief bekommen? – Nein.

10. Haben Sie Kinder? – Ja.
11. Haben Sie das nicht verstanden? – Doch.
12. Wohnen Sie nicht in Hamburg? – Nein.

B.1.c *Fahr nicht so schnell!*

Ü64 2. Iss, trink 3. Nimm 4. Fahr 5. Mach
6. Ruf ... an 7. Schreib 8. Räum ... auf
9. Sprich 10. Hilf 11. Kauf 12. Geh
13. Lies 14. Mach ... aus

Ü65 2. f) ..., hab keine Angst!
3. g) Schlaf ein bisschen!
4. d) ..., sei ganz ruhig!
5. a) Hol schnell den Ball!
6. e) Lad alle deine Freunde ein!
7. b) Werde glücklich im neuen Jahr!

Ü66 2. macht 3. gib 4. Nehmen Sie 5. hilf
6. Lauf 7. Seien Sie 8. Habt 9. Bezahlen
Sie 10. Lies 11. Schlaf 12. Hör ... zu

Ü67 1. b)
Entschuldigung, wie komme ich von hier
zum Bahnhof?
Das ist ganz einfach. Gehen Sie hier geradeaus bis zum Stadtplatz. Dort nehmen Sie
den Bus bis zur Bergstraße. Die Bergstraße
gehen Sie 50 Meter geradeaus, so kommen
Sie direkt zum Bahnhof.
Vielen Dank!

2. b)
Entschuldige, kannst du mir helfen? Ich
suche die Kellerstraße.
Hm, das ist noch ein bisschen weit. Geh doch
hier nach rechts, etwa 30 Meter geradeaus.
Da ist die U-Bahn-Haltestelle *Am Stadttor*.
Nimm die U-Bahn Linie B und fahr zwei Sta-
tionen. Steig am Schillerplatz aus und frag
dort noch einmal!
Ok, vielen Dank!

3. a)
Entschuldigen Sie bitte, darf ich Sie etwas
fragen? Ich suche einen Geldautomaten.
Ein Geldautomat ... Ach ja, in der Schlossstraße ist einer. Gehen Sie hier gleich
rechts und die zweite Straße links. Nach
100 Metern kommt der Offenbachplatz.
Dort nehmen Sie die zweite Straße, das ist
die Schlossstraße. Gleich am Anfang auf der
linken Seite sehen Sie den Geldautomaten.
Vielen Dank!

4. b)
Entschuldige, kennst du die Stadtbibliothek?
Wo ist die denn bitte?
Die ist bei der Universität! Geh zur Bushal-
testelle und nimm den Bus 53. Fahr bis zur
Universität, das ist die dritte Haltestelle. Geh
nach rechts und nach 30 Metern siehst du
die Stadtbibliothek.
Super, danke!

B.2.a *Das hat sicher sehr, sehr viel Geld gekostet!*

Ü68 2. habe ... geschlafen 3. bin ... gefahren
4. habe ... gefrühstückt 5. ist ... gekommen
6. sind ... gegangen 7. haben ... gemacht
8. sind ... zurückgefahren 9. habe ...
ferngesehen 10. bin ... gegangen

*Das Hilfsverb (haben/sein) steht auf
Position II*

*Das Partizip Perfekt (gemacht / gegangen)
steht ganz am Ende vom Satz*

Ü69 2. e 3. a 4. b 5. i 6. c 7. d
8. g 9. h 10. k 11. j 12. f

Ü70 2. a) Wir fahren am Wochenende nach
Frankfurt. b) Wir sind letztes Wochenende
nach Frankfurt gefahren.
3. a) Trinkst du heute zum Abendessen ein
Glas Rotwein? b) Hast du gestern zum
Abendessen ein Glas Rotwein getrunken?
4. a) Ich gehe heute Nachmittag mit meiner
Freundin im Stadtpark spazieren.
b) Ich bin gestern Nachmittag mit meiner
Freundin im Stadtpark spazieren gegangen.
5. a) Heute kaufen meine Freundin und ich
den ganzen Tag im Zentrum ein.
b) Gestern haben meine Freundin und ich
den ganzen Tag im Zentrum eingekauft.
6. a) Heute machen mein Freund und ich
eine Bergtour in den Alpen.
b) Gestern haben mein Freund und ich eine
Bergtour in den Alpen gemacht.
7. a) Ich rufe heute Abend meine Mutter an.
b) Ich habe gestern Abend meine Mutter
angerufen.
8. a) Ich schreibe heute einen Bewerbungsbrief an eine große Firma in Hamburg.
b) Ich habe gestern einen Bewerbungsbrief
an eine große Firma in Hamburg
geschrieben.

Ü71 2. Er ist gefahren. / Er ist letztes Wochenende gefahren. / Er ist letztes Wochenende mit dem Auto gefahren. / Er ist letztes Wochenende mit dem Auto nach Italien gefahren.   3. Die Kinder haben geschlafen. / Die Kinder haben bei ihren Großeltern geschlafen. / Die Kinder haben letztes Wochenende bei ihren Großeltern geschlafen. / Die Kinder haben letztes Wochenende bei ihren Großeltern sehr gut geschlafen. 4. Er hat angerufen. / Er hat mich angerufen. / Er hat mich gestern Abend angerufen. / Er hat mich gestern Abend aus den USA angerufen.   5. Du bist geflogen. / Du bist letzte Woche geflogen. / Du bist letzte Woche mit deiner Tochter geflogen. / Du bist letzte Woche mit deiner Tochter von Brüssel nach Rom geflogen.   6. Ich habe eingekauft. / Ich habe letzten Samstag eingekauft. / Ich habe letzten Samstag alle Getränke eingekauft. / Ich habe letzten Samstag alle Getränke für die ganze Woche eingekauft.

B.2.b *Ich kann das nicht verstehen. Bitte, können Sie das noch einmal erklären?*

Das Modalverb steht auf Position II.
Der Infinitiv steht ganz am Ende vom Satz.

Ü72 2. Ich kann leider den Text nicht verstehen. / Leider kann ich den Text nicht verstehen. 3. Ich will nächstes Jahr ein Medizinstudium beginnen. / Nächstes Jahr will ich ein Medizinstudium beginnen. 4. Darf ich Sie etwas fragen? 5. Kann ich Ihnen helfen? 6. Ich möchte gerne eine Tasse Tee trinken. 7. Du musst unbedingt mit dem Rauchen aufhören. 8. Im Museum darf man nicht fotografieren. / Man darf im Museum nicht fotografieren. 9. Sie müssen jeden Tag neue Wörter lernen. 10. Das Modalverb muss am Satzende stehen. 11. Er will nächsten Monat mit seiner Freundin einen Salsa-Kurs machen. / Nächsten Monat will er mit seiner Freundin einen Salsa-Kurs machen. 12. Darf ich bitte kurz das Fenster aufmachen? / Bitte, darf ich kurz ... / Darf ich kurz ..., bitte?

Ü73 1. Kannst du mir bitte schnell helfen?
2. ~~Ich möchte fahren einmal nach Rom.~~
3. ~~Sie müssen nicht bezahlen diese Rechnung.~~
4. Ihr dürft heute Abend gerne mein Auto nehmen.
5. Mein Sohn will Arzt werden.
6. Darf ich bitte für einen Moment das Fenster aufmachen?
7. ~~Heute musst du anrufen deine Mutter zu ihrem Geburtstag.~~
8. Du sollst heute Nachmittag Carlos zurückrufen.
9. ~~Er kann sprechen sehr gut Englisch und Französisch.~~
10. Ich möchte bitte zahlen.
11. ~~Willst du sehen die neue Ausstellung im Stadtmuseum?~~
12. Ich muss noch mein Zimmer aufräumen, dann kann ich mit dir spazieren gehen.

C.1.a *Soll ich den Pullover kaufen?*

Ü74 2. einen Liter Milch   3. –   4. die neuen Wörter   5. das Wohnzimmer   6. Sprachen   7. einen Hund, eine Katze   8. meinen Freund   9. –   10. den Autoschlüssel   11. die Zeitung

Akk. (der ...): den, die, das, die
Akk. (ein ...): einen, eine, ein, –
Akk. (mein ...): meinen, meine, mein, meine

Der Akk. ist nur im Maskulinum anders. ...

Ü75 2. ein Glas Bier   3. eine Apfelschorle   4. gute Musik   5. den Bus   6. den Kellner   7. eine Uhr   8. keine Uhr   9. seinen Freund B.   10. eine Flasche Wein   11. keine Zeit   12. den Cocktail

Ü76 2. Den ganzen Tag habe ich Deutsch gelernt und Hausaufgaben gemacht.
3. Kannst du mir bitte die Grammatik noch einmal erklären?
4. Frank hat gestern einen Anruf von seinem Chef bekommen.
5. Dieses Jahr möchte ich meinen Urlaub im Juli nehmen.
6. Meine Tochter schläft am Wochenende immer sehr lang.
7. Das ganze Haus habe ich heute alleine aufgeräumt!
8. Wir möchten heute Abend im Fernsehen einen Film anschauen.
9. Am Samstag hole ich meine Eltern vom Flughafen ab.

10. Er kauft am Nachmittag im Supermarkt ein.
11. Liest du gerne die Zeitung oder siehst du lieber die Nachrichten im Fernsehen?
12. Sabine hat ihre Brille gesucht und im Badezimmer gefunden.

Ü77 2. Mark sieht einen Film. – Wie bitte? Was sieht Mark? – Einen Film.
🎧24 3. Ich muss ein Kilo Tomaten und einen Liter Milch kaufen. – Wie bitte? Was musst du kaufen? – Ein Kilo Tomaten und einen Liter Milch.
4. Heute Mittag esse ich einen Teller Suppe. – Wie bitte? Was isst du? – Einen Teller Suppe.
5. Meine Eltern haben im Garten einen großen Baum. – Wie bitte? Was haben deine Eltern im Garten? – Einen großen Baum.
6. Leila bringt ihre Tochter auf die Party mit. – Wie bitte? Wen bringt Leila auf die Party mit? – Ihre Tochter.
7. Peter ruft seinen Vater an. – Wie bitte? Wen ruft Peter an? – Seinen Vater.
8. Heute muss ich meinen Schreibtisch aufräumen. – Wie bitte? Was musst du aufräumen? - Meinen Schreibtisch.
9. Ich habe Hunger – ich möchte jetzt gerne einen Apfel essen! – Wie bitte? Was möchtest du essen? – Einen Apfel.
10. Meine Eltern haben ein Haus mit Garten. – Wie bitte? Was haben deine Eltern? – Ein Haus mit Garten.
11. Morgen Abend treffe ich meinen Freund Iwan. – Wie bitte? Wen triffst du morgen Abend? – Meinen Freund Iwan.
12. Heute habe ich Sandra in der Stadt gesehen. – Wie bitte? Wen hast du in der Stadt gesehen? – Sandra.

C.1.b *Moment, ich helfe Ihnen!*

Ü78 2. dem Chef 3. meiner Tochter 4. –
5. mir 6. Einem Kind 7. den Kindern
8. dir 9. mir 10. der Lehrerin

dem, der, dem, den
einem, einer, einem, –
meinem, meiner, meinem, meinen

Ü79 2. steht 3. helfen 4. passt 5. Schmecken
6. Passt 7. antwortet 8. gehört

Ü80 2. Gefällt dir Deutschland? – Aber sicher, Deutschland gefällt mir.
🎧25 3. Steht mir das Kleid? – Ja, klar, das Kleid steht dir.
4. Gehört Ihnen der rote Porsche? – Aber sicher, der rote Porsche gehört mir.
5. Passt Ihnen der Termin? – Ja, klar, der Termin passt mir.
6. Können Sie mir bitte kurz helfen? – Aber sicher, ich kann Ihnen kurz helfen.
7. Gefallen dir die Bilder? – Ja, klar, die Bilder gefallen mir.
8. Hören Sie mir bitte gut zu? – Aber sicher, ich höre Ihnen gut zu.
9. Passen dir die Schuhe? – Ja, klar, die Schuhe passen mir.
10. Gefällt dir meine neue Brille? – Aber sicher, deine neue Brille gefällt mir.
11. Schmecken dir die Trauben? – Ja, klar, die Trauben schmecken mir.
12. Liebst du mich? – Aber sicher, ich liebe dich!

C.2. *Es ist sonnig und es gibt auch Regen!*

Ü81 2. Es ist 3. Es gibt 4. gibt es 5. gibt es
6. Gibt es 7. ist es 8. Es ist 9. gibt es
10. Es ist 11. gibt es 12. gibt es

Ü82 2. gibt 3. schneit 4. bleibt 5. ist 6. sind
7. ist 8. gibt 9. kommt 10. wechselt
11. scheint 12. regnet 13. gibt 14. ist
15. ist 16. schneit 17. ist 18. beginnt
19. gibt 20. gibt 21. gibt 22. sind
23. stürmt 24. ist 25. schneit 26. ist
27. ist 28. ist 29. gibt

Ü83 2. Es gibt Regen. – Es regnet.
🎧26 3. Es schneit. – Es gibt Schnee.
4. Es blitzt und donnert. – Es gibt ein Gewitter.
5. Es ist stürmisch. – Es stürmt.
6. Es gibt Nebel. – Es ist neblig.
7. Es gibt Schnee. – Es schneit.
8. Es gibt ein Gewitter. – Es blitzt und donnert.
9. Es regnet. – Es gibt Regen.
10. Es ist sonnig. – Die Sonne scheint.
11. Es gibt Hagel. – Es hagelt.
12. Es sind 40 Grad. – Es ist heiß.
13. Es sind Minus 10 Grad. – Es ist kalt.
14. Es ist neblig. – Es gibt Nebel.
15. Es ist bewölkt. – Es ist wolkig. / Es gibt Wolken.

Teil 2: Nomen

D.1.a *Die Sonne scheint heute so schön!*

Ü1 2. das 3. die 4. die 5. die 6. die 7. der
8. der 9. die 10. der 11. der 12. das
13. der 14. die 15. die 16. das 17. die
18. der

D.1.b *Ich habe lieber zwei Hunde.*

Ü2 1. der Fehler, die Fehler / der Kuchen, die
Kuchen / die Mutter, die Mütter / der
Apfel, die Äpfel
2. der Hund, die Hunde / der Fisch, die
Fische / der Satz, die Sätze / die Wurst,
die Würste
3. das Ei, die Eier / das Schild, die Schilder /
das Haus, die Häuser / das Land, die
Länder
4. die Flasche, die Flaschen / die Katze, die
Katzen / die Möglichkeit, die Möglichkeiten / die Übung, die Übungen / die
Freundin, die Freundinnen / die Studentin, die Studentinnen
5. das Restaurant, die Restaurants /
das Baby, die Babys

Gruppe 1: a) *Gruppe 2*: b) *Gruppe 3*: a)
Gruppe 4: a)+b) *Gruppe 5*: a)

Ü3 2. die Frau – die Frauen
3. das Kind – die Kinder
4. die Freundin – die Freundinnen
5. der Freund – die Freunde
6. der Satz – die Sätze
7. das Wort – die Wörter
8. das Haus – die Häuser
9. das Buch – die Bücher
10. das Auto – die Autos
11. die Flasche – die Flaschen
12. der Wunsch – die Wünsche
13. die Katze – die Katzen
14. der Sohn – die Söhne
15. die Tochter – die Töchter
16. der Termin – die Termine
17. der Apfel – die Äpfel
18. die Tasse – die Tassen
19. der Teller – die Teller
20. der Tisch – die Tische
21. der Stuhl – die Stühle
22. die Lehrerin – die Lehrerinnen

23. die Uhr – die Uhren
24. die Lampe – die Lampen
25. der Mann – die Männer

Ü4 2. Häuser 3. Äpfel 4. Wünsche
5. Hunde 6. Computer 7. Handys
8. Reisen 9. Bücher 10. Filme
11. Fahrräder 12. Probleme

D.2.a *Komm, ich habe ein Auto. Ich kann dich fahren.*

Ü5 2. einen 3. die 4. eine 5. einen 6. der
7. Der 8. den 9. ein 10. die 11. die
12. einen 13. einen 14. ein 15. eine
16. einen 17. die 18. Die

Ü6 2. –, ein, – 3. einen, der 4. Die, einen
5. –, –, – 6. das, die, der, die 7. eine, die
8. –, – 9. – 10. den, –

Ü7 2. der Apfel + der Kuchen = der Apfelkuchen
3. der Tisch + die Lampe = die Tischlampe
4. das Geld + der Schein = der Geldschein
5. das Schlafzimmer + die Tür = die
Schlafzimmertür
6. die Grammatik + der Tipp =
der Grammatiktipp
7. der Wein + die Flasche = die Weinflasche
8. der Tee + die Tasse = die Teetasse
9. der Tisch + die Decke = die Tischdecke
10. das Klavier + der Lehrer = der
Klavierlehrer
11. die Reise + der Koffer = der Reisekoffer
12. der Kurs + das Buch = das Kursbuch

Ü8 2. Wo lebst du? – In den USA.
3. Woher kommst du? – Aus Frankreich.
4. Wo ist London? – In Großbritannien.
5. Wo wohnst du? – In den Niederlanden.
6. Wo ist Bern? – In der Schweiz.
7. Woher kommst du? – Aus dem Irak.
8. Woher kommst du? – Aus Russland.
9. Wo lebst du? – In der Ukraine.
10. Wo ist Thessaloniki? – In Griechenland.
11. Woher kommst du? – Aus Syrien.
12. Wo lebst du? – In der Türkei.
13. Woher kommst du? – Aus Belgien.
14. Woher kommst du? – Aus der Slowakei.
15. Wo ist Zagreb? – In Kroatien.
16. Wo wohnst du? – In Dänemark.

17. Woher kommst du? – Aus Finnland.
18. Wo ist Sydney? – In Australien.
19. Wo lebst du? – In Chile.

D.2.b *Das ist keine gute Idee!*

Ü9   2. keine   3. keine   4. keinen   5. keine
6. nicht   7. nicht   8. nicht   9. keine
10. keinen   11. nicht   12. kein   13. nicht
14. kein

Ü10   2. Ich laufe heute nicht im Park.
3. Am Wochenende schlafe ich nicht gerne lang.
4. Möchtest du keinen Kaffee trinken?
5. Er hat keine neue Deutschlehrerin.
6. Ich kann nicht schwimmen.
7. Ich mag die neuen Nachbarn nicht.
8. Kaufst du das rote Sofa nicht?
9. Fährst du jetzt nicht in die Stadt?
10. Sie kommen nicht aus Deutschland.

Ü11   2. Du spielst (nicht) gut Klavier.
🎧 30
3. Er kauft das Auto (nicht).
4. Sie liebt ihren Mann (nicht).
5. Es regnet (nicht).
6. Wir haben (keine) Lust auf Kino.
7. Ihr räumt heute (nicht) die Wohnung auf.
8. Sie wollen ein/kein Haus kaufen.
9. Der Garten ist (nicht) schön.
10. Die Studenten haben k/ein neues Buch.
11. Ich bin (nicht) fertig.

D.2.c *Das ist meine Schwester und ihr Mann.*

Ü12   2. ihr   3. unser   4. ihr   5. mein   6. ihre
7. seine   8. seine   9. dein   10. unser
11. eu(e)re

Ü13   2. sein   3. meinem, Unsere   4. eure
5. euer   6. deiner   7. ihre   8. seinen
9. ihre   10. unsere

Ü14   2. Ich habe einen Bruder. – Das ist mein Bruder.
🎧 31
3. Herr und Frau Wimmer haben drei Kinder. – Das sind ihre Kinder.
4. Edith hat einen Onkel. – Das ist ihr Onkel.
5. Du hast einen Sohn. – Das ist dein Sohn.
6. Jakob und ich haben zwei Großväter. – Das sind unsere Großväter.
7. Ihr habt eine Oma. – Das ist eure Oma.

2. Ich habe einen Bruder. – Ich liebe meinen Bruder.
3. Herr und Frau Wimmer haben drei Kinder. – Sie lieben ihre Kinder.
4. Edith hat einen Onkel. – Sie liebt ihren Onkel.
5. Du hast einen Sohn. – Du liebst deinen Sohn.
6. Jakob und ich haben zwei Großväter. – Wir lieben unsere Großväter.
7. Ihr habt eine Oma. – Ihr liebt eure Oma.

2. Ich habe einen Bruder. – Ich spreche oft mit meinem Bruder.
3. Herr und Frau Wimmer haben drei Kinder. – Sie sprechen oft mit ihren Kindern.
4. Edith hat einen Onkel. – Sie spricht oft mit ihrem Onkel.
5. Du hast einen Sohn. – Du sprichst oft mit deinem Sohn.
6. Jakob und ich haben zwei Großväter. – Wir sprechen oft mit unseren Großvätern.
7. Ihr habt eine Oma. – Ihr sprecht oft mit eurer Oma.

D.3.a *Das ist meine Katze. Sie ist so süß!*

Ü15   1. sie, mich   2. Ich, dich   3. ich, ihn, Er
4. ich, Ich, es   5. Ich, sie   6. uns
7. Ihr, Ich, euch   8. ich, Sie   9. Ich, ich, sie

Singular (Nom., Akk.):
1. Pers.: ich, mich
2. Pers.: du, dich
3. Pers.: er/sie/es, ihn/sie/es

Plural (Nom., Akk.):
1. Pers.: wir, uns
2. Pers.: ihr, euch
3. Pers.: sie, sie
(*formal*: Sie/Sie)

Ü16   2. ihn   3. ihn   4. sie   5. es   6. dich, mich
7. sie   8. Sie   9. ihr, euch   10. Sie, Sie
11. dich, mich

Ü17   2. Ich suche meinen Pullover. – Hast du ihn gesehen?
🎧 32
3. Ich war gestern auch im Theater. – Hast du mich gesehen?
4. Meine Eltern suchen ihren Hund. – Hast du ihn gesehen?
5. Ich suche Christina. – Hast du sie gesehen?

6. Mein Laptop ist weg. – Hast du ihn gesehen?
7. Wo ist mein Auto? – Hast du es gesehen?
8. Heute Morgen war im Garten eine Katze. – Hast du sie gesehen?
9. Meine Schuhe sind weg. – Hast du sie gesehen?
10. Wir waren gestern auch in dem Konzert. – Hast du uns gesehen?
11. Wo ist mein Lieblingsglas? – Hast du es gesehen?
12. Ich suche meine Geschwister. – Hast du sie gesehen?

D.3.b *Ihnen auch! / Danke, gleichfalls!*

Ü18 1. mir 2. Ihnen, mir 3. Ihnen, mir 4. ihm
5. ihr 6. ihnen 7. euch 8. uns

Singular (Nom., Akk., Dat.):
1. Pers.: ich, mich, mir
2. Pers.: du, dich, dir
3. Pers.: er/sie/es, ihn/sie/es, ihm/ihr/ihm

Plural (Nom., Akk., Dat.):
1. Pers.: wir, uns, uns
2. Pers.: ihr, euch, euch
3. Pers.: sie, sie, ihnen
(formal: Sie/Sie/Ihnen)

Ü19
2. Meine Kinder machen Urlaub in Österreich. – Wie gefällt es ihnen?
3. Mein Freund lebt jetzt in Graz. – Wie gefällt es ihm?
4. Guten Tag, Herr Wiesner! Ich bin im Moment in Hamburg. – Wie gefällt es Ihnen?
5. Wir machen gerade Urlaub im Schwarzwald. – Wie gefällt es euch?
6. Ach, du bist jetzt in Dresden? Wie gefällt es dir? – Es gefällt mir gut!
7. Elisabeth macht Urlaub im Tessin. – Wie gefällt es ihr?
8. Ich bin schon zwei Monate in Zürich. – Wie gefällt es dir?
9. Wir leben seit einem Jahr in Innsbruck. – Wie gefällt es euch?
10. Ach, ihr macht Urlaub in der Schweiz? Wie gefällt es euch? – Es gefällt uns gut!
11. Meine Freunde sind schon zwei Wochen in Wien. – Wie gefällt es ihnen?
12. Hans macht gerade Urlaub in den Alpen. – Wie gefällt es ihm?

D.3.c *Welches Auto ist dein Auto?*

Ü20 2. Was für ein 3. Welcher 4. Welche
5. Welches 6. Was für ein 7. Welcher
8. Welche 9. Was für eine 10. Was für
11. Was für ein 12. Welche

E.1. *Oh, das ist ein schönes Kleid!*

Ü21 2. klein 3. hart 4. groß 5. fantastisch
6. gemütlich 7. dunkel 8. hell 9. eng
10. ordentlich, sauber

Ü22 2. – 3. –e 4. –e 5. –es 6. –es
7. –e 8. –es 9. – 10. – 11. –
12. –es 13. – 14. – 15. –e

Ü23 2. Das Sofa ist groß. – Ja, das ist ein großes Sofa.
🎧 34 3. Der Garten ist wunderbar. – Ja, das ist ein wunderbarer Garten.
4. Das Wohnzimmer ist wirklich klein. – Ja, das ist ein kleines Wohnzimmer.
5. Der Tisch ist leider hässlich. – Ja, das ist ein hässlicher Tisch.
6. Der Sessel ist ungemütlich. – Ja, das ist ein ungemütlicher Sessel.
7. Das Bett ist so weich! – Ja, das ist ein weiches Bett.
8. Die Lampe ist kaputt. – Ja, das ist eine kaputte Lampe.
9. Der Schrank ist alt. – Ja, das ist ein alter Schrank.
10. Die Küche ist schmutzig. – Ja, das ist eine schmutzige Küche.
11. Der Teppich ist sehr bunt. – Ja, das ist ein sehr bunter Teppich.
12. Das Kissen ist wunderschön. – Ja, das ist ein wunderschönes Kissen.
13. Das Bad ist kalt. – Ja, das ist ein kaltes Bad.
14. Das Regal ist voll. – Ja, das ist ein volles Regal.
15. Die Bettdecke ist dünn. – Ja, das ist eine dünne Bettdecke.

E.2. *Meine Wohnung ist dort, im dritten Stock!*

Ü24 2. vierte, fünfte 3. dreiundzwanzigsten
4. ersten 5. einundzwanzigsten 6. siebte
7. neunzehnten, zwanzigsten 8. achtzigste
9. fünfhundertste 10. dritte 11. einunddreißigsten 12. erste

Ü25 2. zehn – der zehnte
3. zwanzig – der zwanzigste
4. zweiundzwanzig –
der zweiundzwanzigste
5. elf – der elfte
6. eins – der erste
7. sieben – der siebte
8. dreißig – der dreißigste
9. siebenundzwanzig –
der siebenundzwanzigste
10. siebzig – der siebzigste

1. sechs – am Sechsten
2. dreizehn – am Dreizehnten
3. einundzwanzig – am Einundzwanzigsten
4. dreißig – am Dreißigsten
5. achtzehn – am Achtzehnten
6. fünfundzwanzig –
am Fünfundzwanzigsten
7. drei – am Dritten
8. sieben – am Siebten
9. neun – am Neunten

E.3. *Dein Eis schmeckt besser als mein Eis!*

Ü26 2. Am besten 3. besser 4. lieber
5. Am liebsten 6. am meisten

gut, besser, am besten /
viel, mehr, am meisten /
gern, lieber, am liebsten

Ü27 2. Marina lernt mehr als Pablo, aber Georgios lernt am meisten.
3. Peter kocht lieber als Eva, aber am liebsten kocht Michael.
4. Egon schläft mehr als Lennard, aber am meisten schläft Fedor.
5. Franz sieht lieber als Ella fern, aber am liebsten sieht Chris fern.
6. Fernando spielt besser Klavier als Anna, aber am besten spielt Mario Klavier.

Ü28 2. Ich habe viel Geld. – Aber ich habe mehr Geld als du!
3. Ich spiele gut Fußball. – Aber ich spiele besser Fußball als du!
4. Ich lese gern. – Aber ich lese lieber als du!
5. Ich arbeite viel. – Aber ich arbeite mehr als du!

6. Ich trinke gern Apfelschorle. – Aber ich trinke lieber Apfelschorle als du!
7. Ich kann gut Deutsch sprechen. – Aber ich kann besser Deutsch sprechen als du!
8. Ich habe viel Glück. – Aber ich habe mehr Glück als du!
9. Ich mache gern Hausaufgaben. – Aber ich mache lieber Hausaufgaben als du!
10. Ich kann die Komparation gut. – Aber ich kann die Komparation besser als du!

F.1.a *Ich komme am Abend um sieben Uhr!*
Bis dann!

Ü29 2. am, um 3. von ... bis 4. vor 5. am, ab
6. Im, am 7. Am, nach 8. Am, um

Uhrzeit: um / Tag(eszeit): am / Monat: im /
Uhrzeit, Tag, Tageszeit, Monat: von ... bis /
Uhrzeit, Tag, Monat: ab

Ü30 (2) bis (3) Am (4) ab (5) um (6) Vor
(7) von (8) bis (9) Am (10) am (11) von
(12) bis (13) – (14) Nach (15) am

Ü31 1. Wann kommst du? – Ich komme am Freitag.
2. Wann hast du Urlaub? – Ich habe im Juli Urlaub.
3. Wann hast du in Paris studiert? – Ich habe von 1992 bis 1994 in Paris studiert.
4. Wann gehst du ins Theater? – Ich gehe nach dem Abendessen ins Theater.
5. Wann beginnt der Film? – Der Film beginnt um 20.30 Uhr.
6. Wann möchtest du duschen? – Ich möchte nach dem Sport duschen.
7. Wann kommst du heute nach Hause? – Ich komme heute um halb fünf nach Hause.
8. Wann besuchst du deine Eltern? – Ich besuche am Wochenende meine Eltern.
9. Wann sind die Geschäfte geöffnet? – Die Geschäfte sind von Montag bis Samstag geöffnet.
10. Wann hast du dein Examen gemacht? – Ich habe 2003 mein Examen gemacht.

F.1.b *Da, schau! Es ist halb drei!*

Ü32 2. a 3. g 4. l 5. j 6. b 7. c
8. d 9. k 10. e 11. i 12. h

Ü33 2. Es ist 0.20 Uhr. – Wie bitte? – Es ist zwanzig nach zwölf. / Es ist zehn vor halb eins.

3. Es ist 16.15 Uhr. – Wie bitte? – Es ist Viertel nach vier.

4. Es ist 07.55 Uhr. – Wie bitte? – Es ist fünf vor acht.

5. Es ist 5.35 Uhr. – Wie bitte? – Es ist fünf nach halb sechs.

6. Es ist 13.45 Uhr. – Wie bitte? – Es ist Viertel vor zwei.

7. Es ist 15.25 Uhr. – Wie bitte? – Es ist fünf vor halb vier.

8. Es ist 20.30 Uhr. – Wie bitte? – Es ist halb neun.

9. Es ist 21.10 Uhr. – Wie bitte? – Es ist zehn nach neun.

10. Es ist 19.40 Uhr. – Wie bitte? – Es ist zwanzig vor acht. / Es ist zehn nach halb acht.

11. Es ist 10.30 Uhr. – Wie bitte? – Es ist halb elf.

12. Es ist 12.58 Uhr. – Wie bitte? – Es ist kurz vor eins.

F.2.a *... ich bin ... auf dem Fußballplatz.*

Ü34 2. im 3. bei 4. im 5. beim, beim 6. in 7. in, in 8. am 9. beim, auf, im 10. bei, auf 11. am, im

Präpositionen auf die Frage wo? brauchen den Dativ

in an in auf

Ü35 2. auf dem 3. in der 4. Zu 5. in 6. bei den 7. im 8. im 9. beim 10. auf dem 11. im 12. im 13. am 14. in der

Ü36 2. Wo warst du im letzten Urlaub? – Ich war in der Schweiz.

3. Warum warst du heute nicht in der Arbeit? – Ich war beim Arzt.

4. Wo warst du Sonntagnachmittag? – Ich war am See.

5. Ich habe dich gesucht! Wo warst du? – Ich war auf dem Markt.

6. Warum siehst du so müde aus? – Ich war im Sportstudio.

7. Gestern Abend habe ich dich angerufen, aber du warst nicht da. – Ich war im Theater.

8. Wo warst du in den Sommerferien? – Ich war auf Korsika.

9. Warum warst du gestern nicht im Club? – Ich war zu Hause.

10. Wo hast du gestern Nachmittag Deutsch gelernt? – Ich war bei Maria.

11. Warum warst du am Wochenende nicht bei den Eltern? – Ich war in den Bergen.

12. Oh, du siehst toll aus! Wo warst du? – Ich war am Meer.

Ü37 2. auf 3. Unter 4. Zwischen 5. In, neben 6. An, über 7. Hinter

F.2.b *Ich gehe ins Schwimmbad, gehst du mit?*

Ü38 1. ins 2. nach 3. nach 4. nach, auf 5. zu, auf 6. nach, aufs 7. ins 8. in 9. in 10. in 11. ans, an 12. zum 13. in

Dativ, Akkusativ, Akkusativ
nach, an, in, auf, in

Ü39 2. nach 3. in die 4. in den 5. nach 6. nach 7. auf die 8. in die 9. nach 10. ans 11. zu 12. nach 13. nach 14. nach 15. in die 16. in 17. zum 18. nach 19. in die 20 nach

Ü40 2. Wohin fährst du im Urlaub? – Ans Meer.

3. Wohin fliegst du im Winter? – Nach Thailand.

4. Wohin fährst du am Wochenende? – Zu meinen Eltern.

5. Wohin gehst du im Sommer? – Nach Santiago de Compostela.

6. Wohin möchtest du reisen? – In die Türkei.

7. Wohin fährst du morgen? – In die Berge.

8. Wohin willst du fahren? – Auf eine Insel im Pazifik.

9. Wohin fliegst du im Juni? – Zu Freunden nach Hamburg auf ein Hochzeitsfest.

10. Wohin möchtest du jetzt? – Nach Hause.

11. Wohin fährst du nächstes Jahr? – Auf die Insel Korsika.

Ü41 Bitte, was möchten Sie?
Ich möchte eine Tasse Kaffee, bitte!

Regel

ich / Rechnung / lächeln / Bücher / möchte / Milch
Nacht / noch / Buch

Aussprache-Tipp

 jajajajajajajajajaja / ich, ech, äch, üch, öch

Aussprache-Tipp

 ach, och, uch

Ü42 1. ich / nicht / Licht / richtig / wichtig / sprichst
 2. Küche / Bücher / schüchtern / tüchtig
3. Rechnung / Becher / Technik / sprechen / lächeln / Nächte
4. möchte / Köche / höchste / Löcher
5. feucht / leuchten / Bäuche
6. Milch / München / Hündchen / Schätzchen
7. Nacht / lachen / machen / Krach
8. kochen / noch / Loch
9. Buch / Kuchen / suchen / Geruch

Ü43 1. Ach, warum kommt er noch nicht?
 2. Ich möchte viele Bücher lesen.
3. Das Nachtlicht leuchtet schwach.
4. Die Münchner Köche suchen ihre Becher.
5. Das Kätzchen riecht die Milch.
6. Mach in der Nacht nicht so viel Krach!
7. Bitte mach Licht, ich suche mein Taschentuch!
8. Das Technikbuch ist für mich, nicht für dich!
9. Welche Sprachen sprichst du?

Vorsicht!

 Ein Koch in der Küche ist wichtig,
Krach in der Nacht ist nicht richtig!
Ich spreche die Sprache jetzt richtig,
denn das ist sicherlich wichtig!

Ü44 Hast du heute schon die Hausaufgaben
 gemacht? – Ja. – Ist das wirklich wahr?

Ü45 1. Haus / hören / Hose / Haltestelle / Hut / herrlich / heißen / Hochzeit / Himmel / hell
2. aufhören / verheiratet / Erholung / Geheimnis / unheimlich
3. Herr Huber hört heute herrliche Harfenmusik.
4. Herbert hat heimlich Heidi geheiratet.
5. Hans hustet heute heftig.
6. Im Herbst ist der Himmel nicht lange hell.
7. Hast du die Hose an den Haken gehängt?

Ü46 Bitte, steigen Sie in die Straßenbahn ein!
Ich gehe gern spazieren und mache gerne Sport.

Aussprache-Tipp

sch-sch-sch-sch / Pscht!

Ü47 1. sprechen / Spanien / Spaß / spät / Vorspeise / zusperren / Spiegel / Sport / Kinderspiel / Hochsprung
2. Straße / stehen / Großstadt / Fußballstadion / stark / Stern / stimmt / Strand / Studentin / Stuhl
3. In Spanien spricht man auf allen Straßen Spanisch.
4. An der Haltestelle stehen starke Sportler und fahren mit der Straßenbahn ins Stadion.
5. Am Strand spielen Studenten zum Spaß Strandtennis.

Vorsicht!

Zwischen zwei spitzen Steinen sitzen zwei zischende Schlangen.

Ü48 Heute Abend höre ich ein Konzert in München.
Ich wünsche dir viel Spaß!

Aussprache-Tipp

i → ü / e → ö

Ü49 1. wünschen / Süden / Brücke / über / Gemüse / Gürtel / süß / grün / Tür / Müsli / glücklich
2. Die süße Lydia sitzt müde im hübschen Kostüm im Büro.
3. Die Spülmaschine spült und der Kühlschrank kühlt.
4. Günther kommt pünktlich zum Frühstück und isst glücklich sein Müsli.
5. Der dünne Rüdiger übt überall für seinen Führerschein.
6. Übung macht den Meister!

1. mögen / möchte / können / Vögel / Öl / hören / Wörter / öffnen / Österreich / Söhne / böse / schön / König
2. Die schöne Königin von Österreich hört die Vögel flöten.
3. Der König möchte zwölf Söhne.
4. Böse Wörter können Vögel stören.
5. Möhren mit Öl schmecken Jörg köstlich.

Notizen

Kurzgrammatik Deutsch

128 Seiten
ISBN 978–3–19–009569–8

Deutsche Grammatik zum Nachschlagen und Üben!

Die *Kurzgrammatik Deutsch* behandelt die wichtigsten Grammatik-Themen so kurz wie möglich und bietet Ihnen so einen Überblick über das System der deutschen Sprache. Das hilft Ihnen, das wirklich Wesentliche schnell zu lernen und sicher zu beherrschen.

▶ Beschränkung auf die wesentlichen Aspekte der Grammatik, die für Deutschlerner besonders hilfreich sind

▶ Kurze Tests zur Selbstevaluation zu jedem Themenbereich

▶ Lösungen zu den Tests und eine Liste der wichtigsten unregelmäßigen Verben und Verben mit Präpositionen im Anhang

▶ Für gezieltes Nachschlagen bzw. Üben, für zu Hause und unterwegs

▶ Zur Vorbereitung auf die Prüfungen der Niveaustufen A1, A2 und B1 des *Gemeinsamen Europäischen Referenzrahmens*

Auch für die Ausgangssprachen Englisch und Russisch erhältlich.

Deutsch üben –
einfach & verständlich!

deutsch üben – A1 begleitet Ihre ersten Schritte in der deutschen Sprache und ist ein nützlicher Begleiter zur Prüfung »Start Deutsch 1«. Übungen mit einfachen Erklärungen sorgen dafür, dass Lernungewohnte selbstständig üben können.

Mit *deutsch üben – A2* können Sie vorhandene Deutschkenntnisse vertiefen bzw. Ihren Sprachstand erhalten. Außerdem können alle für die Prüfung »Start Deutsch 2« relevanten Sprachfertigkeiten erworben werden.

deutsch üben – B1 richtet sich an fortgeschrittene Anfänger, die ihre vorhandenen Deutschkenntnisse aufrechterhalten und festigen möchten. Die Reihe eignet sich auch ideal zur Vorbereitung auf B1-Prüfungen.

deutsch üben – A1
Je 76 - 116 Seiten

Lesen & Schreiben A1	ISBN 978–3–19–457493–9
Wortschatz & Grammatik A1	ISBN 978–3–19–407493–4
Hören & Sprechen A1 Mit Audio-CD	ISBN 978–3–19–507493–3

deutsch üben – A2
Je 112 - 128 Seiten

Lesen & Schreiben A2	ISBN 978–3–19–537493–4
Wortschatz & Grammatik A2	ISBN 978–3–19–557493–8
Hören & Sprechen A2 Mit 2 Audio-CDs	ISBN 978–3–19–567493–5

deutsch üben – B1
Je 112 - 136 Seiten

Lesen & Schreiben B1	ISBN 978–3–19–547493–1
Wortschatz & Grammatik B1	ISBN 978–3–19–417493–1
Hören & Sprechen B1 Mit 2 Audio-CDs	ISBN 978–3–19–617493–9

www.hueber.de/deutsch-lernen

Hueber Freude an Sprachen